JOAN LIN

ouv
tous les jours

traduit de l'américain par
ROSE-MARIE VASSALLO

illustrations de
BRIGITTE BREYTON

castor poche flammarion

Joan Lingard, l'auteur est anglaise.
« J'écris parce que je ne peux pas vivre sans écrire. J'ai commencé à le faire dès l'âge de onze ans. J'ai écrit des romans pour les jeunes, des romans pour les adultes et aussi des drames pour la télévision. C'est difficile d'écrire, mais c'est aussi une joie, une sorte de satisfaction à s'exprimer, à vivre dans des mondes différents pour quelque temps. J'écris tous les jours, plusieurs heures. Le thème de mes livres s'imposent à moi. Je ne les cherche pas. J'ai écrit *Ouvert tous les jours* parce que, étant enfant, j'aimais beaucoup les magasins qui, comme celui de la famille Francetti, vendaient des frites. »
« Dans mes temps libres, j'aime lire, aller au théâtre, me promener dans la campagne et voyager, surtout au Canada et en France, où j'ai fait plusieurs longs séjours. Pendant l'été 1981, j'ai passé, avec ma fille, cinq semaines à me promener en France : dans le Lot et Garonne, l'Aveyron, le Midi et les Pyrénées. »

Rose-Marie Vassallo, la traductrice; vit en Bretagne, près de la mer, avec son mari et ses quatre enfants, grands dévoreurs de livres.
Entre ses multiples activités, Rose-Marie s'installe devant sa machine à écrire... il en sort des textes publiés dans les Albums du Père Castor et des traductions pour la collection Castor Poche :
« Lorsqu'on vient de lire un livre et d'y prendre plaisir, dit-elle, on éprouve le désir de le propager. Et l'on s'empresse de le prêter à qui semble

pouvoir l'aimer. Mon travail de traductrice ressemble à cette démarche : J'essaie par là, tout simplement, de partager ce qui m'a plu. »

Brigitte Breyton, l'illustratrice, est née en 1959. Après avoir suivi une section d'Arts Plastiques au lycée, elle est maquettiste durant un an pour des journaux d'enfants. Depuis trois ans, elle se consacre entièrement à l'illustration. Elle a déjà illustré deux titres de la collection Castor Poche.

Ouvert tous les jours :
Incorrigible, Papa Francetti trouve le moyen de tomber du toit (où il était grimpé sans échelle) alors que sa femme est à l'étranger. Résultat : il s'est cassé la jambe et se retrouve à l'hôpital. Qui va faire fonctionner le petit restaurant (fritures en tout genre) qu'il n'est pas question de fermer, pour cause de concurrence aiguë?
Paula et Toni, qui sont collégiens, tâcheront de l'ouvrir tous les soirs – avec l'aide, parfois désastreuse, d'un grand-père qui n'est pas diplomate. Mais les affaires ne marchent pas fort, et Rosita, la petite sœur, a ses propres idées sur la question... Si l'on ajoute qu'une bande de (mauvais?) garçons vient compliquer les choses, et que chaque membre de la famille Francetti prétend appliquer sa méthode personnelle à la situation, on comprendra que l'ennui ne menace pas la maison, ni les clients!

Titre original :

FRYING AS USUAL

Une production de l'Atelier du Père Castor

1. Monsieur Francetti est tombé du toit

– Venez vite! Viiiite! hurlait Rosita. Papa est tombé du toit!

Toni surgit instantanément de sa chambre, laissant tomber sans ménagement le livre qu'il était en train de lire. Il se rua sur les talons de sa jeune sœur. Paula se mit en mouvement à son tour, mais sans hâte, comme à son habitude. D'abord, se disait-elle, il n'y avait sûrement pas urgence : Rosita exagérait tout. Elle adorait les catastrophes et encore plus les annoncer elle-même. Leur père avait dû déraper et glisser de quelques mètres, voilà tout. Paula finit de vernir de rose l'ongle de son dernier doigt avant d'aller voir de quoi il retournait.

La famille Francetti habitait à l'étage, au-dessus du petit restaurant où elle servait frites et poisson frit. Paula descendit l'escalier, traversa la salle – à cette heure-là, le restaurant était fermé – et sortit dans l'arrière-cour. Là, son père gisait sur le sol, la jambe tordue dans une étrange position. C'était un homme râblé, taillé en force et, comme Rosita, il éprouvait toujours le besoin de s'exprimer haut et clair. Pour le moment, il mugissait comme un taureau, et Paula redoutait que certains des mots qu'il proférait ne fussent pas du goût de Mme Small, la mercière d'à côté...

– Paula! Cours vite téléphoner à une ambulance! lança Rosita à sa sœur.

Agenouillée auprès de son père, elle tentait de l'apaiser en lui caressant le front.

– Une ambulance? dit Paula. Tu es sûre que ça en vaut la peine?

– Va donc savoir... dit Toni tranquillement. Tu connais Papa...

Ils l'avaient entendu hurler avec autant de conviction le jour où il s'était planté une écharde dans le pied. Ce jour-là, il débitait du bois dans la cour, pieds nus. « La dernière des choses à faire », comme le lui avait fait remarquer leur mère, furieuse, pour le faire taire. Chacun l'avait approuvée à part soi, même si aucun d'eux n'avait jamais osé le dire tout haut. Et

M. Francetti, pendant cinq minutes, avait sauté à cloche-pied à travers toute la cour, l'énorme écharde fichée sous la plante du pied, avant de se laisser persuader par sa femme de s'asseoir à ses côtés pour qu'elle lui enlevât l'éclat de bois à l'aide d'une aiguille à repriser... C'était Rosita, ce jour-là, qui était allée chez Mme Small acheter une aiguille toute neuve. Mais aujourd'hui, pas de Mme Francetti pour prendre les décisions d'urgence : elle était partie en Italie pour un mois dans un coin perdu de la Calabre, rendre visite à ses parents âgés qu'elle n'avait pas revus depuis des années.

– Oh! Cette jambe me tue, cette jambe me tue! se lamentait M. Francetti. Je vais mourir, je vais mourir... Mourir ici, tout seul... Et

Maria qui est si loin, et qui ne sait même pas ce qui m'arrive!

– Mais moi, je suis là, Papa, dit Rosita.

– Il vaudrait mieux appeler le médecin, dit Toni à Paula. C'est lui qui pourra dire s'il faut ou non une ambulance.

– Emmenez-moi à l'hôpital! implorait leur père en gémissant. Je ne peux pas remuer ma jambe. Oooh! Je vais mourir ici, dans cette cour, comme une bête...

Paula entra dans le restaurant et composa le numéro du cabinet médical. Au bout du fil on lui répondit que le médecin était sorti pour visiter ses malades et qu'il ne serait pas de retour avant une bonne heure au moins.

– Est-ce vraiment grave? s'enquit la personne qui répondait aux appels.

– C'est difficile à dire, expliqua Paula. Mon père assure qu'il ne peut pas bouger sa jambe, pas du tout – mais il faut dire qu'il fait facilement des histoires pour pas grand-chose...

– Hein?... L'autre avait l'air de commencer à s'impatienter, comme si toute cette histoire ne la regardait pas. Peut-être que vous feriez mieux, tout de même, d'essayer de savoir s'il y a urgence, oui ou non. Si c'est vraiment grave, nous pouvons vous envoyer une ambulance. Mais si ça ne l'est pas, vous comprenez bien que nous ne voulons pas gaspiller l'argent du contribuable...

Paula vit dans sa tête surgir en trombe une ambulance, toutes sirènes hurlantes, dans le clignotement bleu de son phare tournoyant; tous les voisins se précipitaient aux nouvelles, mais le père se relevait, le plus naturellement du monde, en déclarant qu'après tout ce n'était jamais qu'une petite foulure... Elle raccrocha le combiné.

Là-bas, dans la cour, M. Francetti se lamentait toujours.

– Alors? demanda Toni.

– Le docteur fait la tournée de ses malades. Et la bonne femme qui m'a répondu s'en fichait du tiers comme du quart; on aurait bien pu tous être à l'agonie, c'était pareil.

– Peut-être qu'on devrait prévenir Grand-Père? suggéra Toni.

– Grand-Père? Tu veux rire! dit Paula. D'abord, il doit ronfler comme un sonneur. Tu penses bien qu'autrement, il aurait entendu!

Grand-Père avait beau le nier

énergiquement, il passait une bonne partie de la journée à dormir. Il était aussi légèrement dur d'oreille, sans être complètement sourd : il entendait en somme tout ce qu'il tenait à entendre, mais... pas le reste. La scène présente, dans l'arrière-cour, ne le concernait manifestement pas.

– Mais vous n'avez donc encore rien fait, vous deux? s'indigna Rosita. Allez au moins lui chercher un verre d'eau...

– Plutôt de l'eau-de-vie... gémit bruyamment M. Francetti.

– Là! Qu'est-ce que je disais! triompha Paula. Vous voyez bien qu'il n'est pas si mal en point!

Toni s'en fut chercher un petit verre d'eau-de-vie que Rosita porta aux lèvres de son père. Il ne fut pas long à vider le petit verre.

– Un peu plus... grogna-t-il. Ça soulage...
– Je ne crois pas que boire de l'alcool soit tellement bon, quand on est en état de choc, objecta Toni.
– Toni, mon garçon, sois gentil, et fais ce que ton père te demande, plaida M. Francetti. (Puis il se tourna vers sa fille aînée, agenouillée à présent auprès de sa petite sœur.) Paula... Si je disparaissais... Tu prendrais la place de ta mère jusqu'à son retour, n'est-ce pas?
– Papa, ne dis donc pas de sottises. Il n'est pas question que tu disparaisses.
– Tu es dure, Paula. Tu n'imagines pas à quel point je souffre.

Il se remit à gronder de douleur et Paula remarqua que de grosses gouttes de sueur lui perlaient au front. Pour la première fois, l'idée lui vint que c'était peut-être réellement grave.

– Mais que faisais-tu sur ce toit? demanda-t-elle.

– Je remettais en place quelques ardoises que la dernière tempête avait chahutées. Je m'étais dis que je ne pouvais pas laisser tomber la pluie sur la tête de ma pauvre famille...

– Mon pauvre Papa, murmura Rosita. Toujours en train de te tracasser pour nous.

– Et de quelle hauteur es-tu tombé? voulait savoir Paula.

– De tout en haut. J'étais juste à côté de la cheminée.

Les deux sœurs levèrent le nez. C'était vraiment une belle chute, s'il était pour de bon tombé depuis la cheminée. Il n'y avait pas de trace d'échelle, rien d'autre pour grimper là-haut que les pierres qui

dépassaient du mur, pour la décoration.

– Tu n'avais pas pris d'échelle? demanda Paula.

– Une échelle? Oh non! pas la peine! Je suis grimpé sur les marches, et puis après, comme j'ai pu. Mais les ardoises étaient encore glissantes de la dernière pluie... Ooooh, oooh... Ah! merci, Toni.

Il se releva sur un coude et vida son petit verre sans l'appui de personne. Puis il se renversa de nouveau contre l'épaule de Rosita.

– Eh bien, dit la petite fille, c'était du courage de grimper là-haut!

« Surtout quand on est aussi lourd », se dit Toni.

– Mais quand même, poursuivait Rosita, tu aurais bien pu demander à Toni d'y aller à ta place.

– Non, il était en train d'étudier, dit M. Francetti. Et ça, vos études, c'est sacré. Je ne veux pas voir mes enfants passer leur vie, plus tard, à faire frire des patates et du poisson. Je ne veux pas vous voir, comme votre vieux père, passer des heures et des heures, tous les jours, à éplucher des patates et à les retourner dans la friture bouillante, ça non! Vous travaillerez assis, dans un joli bureau. Ah! si j'avais eu votre chance!

Les enfants ne pipèrent pas mot. Ils savaient que leur père, au fond, prenait plaisir à son travail, au grésillement de sa friture, à la bousculade et au remue-ménage du petit restaurant, et qu'après une semaine passée derrière un bureau il aurait sans doute crié grâce et tout laissé tomber pour venir retrouver l'animation de sa boutique. Son père, avant lui, avait été marchand de frites – le métier devait être dans le sang... Pas dans le leur, apparemment. Oh! ils ne rechignaient pas quand il fallait donner un coup de main, du moins pas Toni, ni Rosita. Mais aucun d'eux n'envisageait de passer sa vie dans le petit restaurant.

– Alors comme ça, Papa, tu as glissé depuis tout là-haut? insista Paula.

– Euh... Non, pas tout à fait. C'est quand j'ai commencé à descendre. Je ne suis pas arrivé à remettre les pieds sur les pierres, là...

Ils se mirent à l'imaginer, suspendu là, au rebord du toit, avec ses doigts qui glissaient et ses pieds qui cherchaient désespérément un appui à tâtons. C'était alors qu'il était tombé. Et qu'il s'était esquinté la jambe.

– Je me suis écroulé sur cette jambe, dit M. Francetti.

– Laisse voir si je peux la remettre d'aplomb, suggéra Paula.
– Vas-y doucement! supplia son père en se remettant à gémir.

Rosita lui prit la main, tandis que Paula et Toni s'efforçaient de soulever tout doucement la jambe de leur père. Mais il se mit à hurler.

– J'ai l'impression qu'il y a vraiment quelque chose, dit Toni mal à l'aise.
– Mme Small va souvent à la Croix-Rouge, répondit Rosita. Peut-être qu'elle saurait ce qu'il faut faire?
– Pourquoi tu ne l'as pas dit plus tôt? s'écria Paula, furieuse. Nous sommes là, tous, à ne pas savoir que faire et à perdre du temps, alors que la voisine s'y connaît? C'est malin!

Rosita escalada le muret de séparation et se laissa retomber dans la petite cour voisine. Elle ouvrit la porte de derrière et traversa le petit salon, derrière la boutique, là où la mercière, à la sauvette, venait boire des tasses de thé et où elle entreposait ses écheveaux de laine, ses boîtes d'élastiques et de bobines diverses. La petite commerçante, qui portait bien son nom[1], était pour le moment très occupée avec une cliente en train de choisir des fermetures à glissières.

– Madame Small, s'il vous plaît... Mon père vient de tomber du toit... Si vous pouviez venir tout de suite...

Mme Small lâcha sa poignée de fermetures éclair :

– Mon Dieu, Rosita, que tu m'as fait peur!

1. « Small » signifie « petit » en anglais.

– S'il vous plaît... Papa nous a fait peur, aussi! Il va peut-être en mourir...
– Oh Seigneur! probablement pas. (Mme Small considérait Rosita d'un regard bleu sans sévérité. Elle aussi, elle était habituée à Rosita et à ses faire-part de cataclysmes.) Une petite minute, veux-tu? Je finis de servir cette dame et je viens.

Avant le départ de Mme Francetti, la mercière lui avait promis de veiller sur la nichée.

La cliente s'en alla avec sa fermeture éclair, et Mme Small suivit Rosita, en passant par la rue, cette fois, parce qu'elle n'était plus assez leste pour passer par-dessus un mur. Son regard se chargea d'anxiété sitôt qu'elle vit la pâleur de M. Francetti.

– Nous avons essayé de remettre sa jambe d'aplomb, dit Paula,

mais nous n'y sommes pas arrivés.
– Encore heureux! C'est la dernière chose à faire! répondit la petite dame. Il ne faut jamais toucher aux blessés. Seuls ceux qui s'y connaissent doivent les manipuler, c'est leur métier. Toni, file nous appeler une ambulance!
– C'est ce que je n'ai pas cessé de leur demander! dit M. Francetti. Mais c'est comme si je chantais. Ils se figuraient que je faisais des histoires pour le plaisir!
– Bon, maintenant, calmez-vous, ne remuez surtout pas. Rosita, ma chérie, voudrais-tu aller tenir la boutique, pour le cas où il viendrait quelqu'un?

Rosita jeta un long regard sur son père. En temps ordinaire, elle adorait tenir la petite mercerie, dans les rares occasions où cette faveur lui était accordée. Elle aimait l'odeur des pelotes de laine et l'arc-en-ciel des bobines de fil.

– Ne t'inquiète pas. Je veille sur ton père, lui promit Mme Small. Et tu verras arriver l'ambulance, de toute façon.

M. Francetti redoubla de gémissements variés, comme pour justifier l'appel à une ambulance.

– Là, doucement, dit Mme Small. Calmez-vous. Surtout, calmez-vous.

– Impossible, marmotta Paula.

Rosita prit place derrière le comptoir de Mme Small, après avoir remis en place les fermetures à glissières en désordre. La porte s'ouvrit à cet instant et son amie Susan apparut. Elle venait acheter de l'élastique pour sa mère. Rosita la servit avec de grands gestes experts et la mit au courant de l'accident paternel. Elle emballait le petit paquet lorsqu'elle entendit la sirène de l'ambulance, à l'autre bout de la rue. Toutes les deux se ruèrent sur le seuil.

La rue fut bientôt noire de monde. Voisins, passants, chalands des boutiques alentour, tout le monde voulait voir et savoir. Quelques minutes plus tard, M. Francetti sortait de chez lui sur une civière, une couverture jetée sur lui jusqu'au menton. Rosita se précipita vers lui.

– Tu crois que ça ira, Papa?

– Mais oui, ça ira, ne t'en fais pas. Je suis en bonnes mains à présent.

– Il faut que quelqu'un l'accompagne, dit l'ambulancier. Ne serait-ce que pour rapporter ses vêtements si on le garde là-bas...

– Paula, je veux que ce soit Paula, marmonna M. Francetti du fond de l'ambulance. C'est à elle de prendre la place de sa mère.

Paula avala sa salive. Les hôpitaux lui faisaient horreur. Rien que l'odeur la rendait malade. Mais elle monta bravement à bord de la voiture, et l'ambulancier referma la portière.

– Ne te tourmente pas, Rosita, dit Mme Small. Ce n'est peut-être rien du tout. Une foulure, par exemple. Si ça se trouve, il sera de retour ce soir.

Rosita se moucha et esquissa un petit sourire. Elle savait que Mme Small cherchait à la réconforter.

Comme il n'y avait plus rien à voir, les badauds se dispersèrent. Rosita et Toni, regardant autour d'eux, aperçurent alors leur grand-père, debout, en pantoufles, sur le seuil du petit restaurant. Ses cheveux gris, drus encore, étaient tout ébouriffés.

– Allons, que se passe-t-il? demanda-t-il.

– Papa est tombé du toit, dit Rosita.

– Du toit?

– Oui, dit Toni. Et on l'emmène à l'hôpital.

– L'hôpital?

– Oui. En ambulance.

– Mais pourquoi donc? Ce n'est pas la première fois qu'il tombe du toit!

Grand-Père disait vrai : M. Francetti avait déjà glissé de ce toit, un jour qu'il bricolait sur l'antenne de télévision fixée à la cheminée; mais c'était des années avant et tout le monde l'avait oublié. Il attirait tellement les accidents que nul n'aurait su tenir le compte de toutes ses mésaventures.

– Alors pourquoi l'ont-ils emmené, cette fois?
– Oh! pour lui faire des radios, des trucs comme ça, dit Toni. Il s'est esquinté une jambe.
– Ah! celui-là! Ce qu'il aime faire tout un cirque! commenta le vieil homme en hochant la tête. Et c'est comme ça depuis toujours. Lorsqu'il était bébé, c'était pareil : il se cognait au menton de sa mère, et vous auriez cru qu'il venait de dégringoler dans les escaliers!
– Je crois quand même que cette fois-ci c'est un peu plus sérieux, dit Mme Small en les quittant pour regagner sa boutique où venait d'entrer un client.

Grand-Père sortit sa montre de sa poche et la rapprocha de son nez.
– Dites, vous savez l'heure qu'il est?

– Non... dit Rosita, dont la pensée suivait l'ambulance emmenant son père à travers les rues, en direction de l'hôpital.
– Cinq heures!
– Cinq heures... répéta Rosita.
– Oui, et on devrait avoir ouvert, remarqua Toni.
– Exactement, dit le vieil homme. Alors que nous sommes là, plantés sur le trottoir, et que la friture n'est même pas en route.
– Seulement, voilà : pouvons-nous le faire sans Papa? demanda Toni.

Il ne savait même pas à quelle température devait monter la friture.
– Si nous pouvons le faire sans lui? s'indigna Grand-Père en lissant sa moustache. Pendant quarante ans, dis-toi bien, moi, j'ai fait ça tous les soirs!

« Oui, mais c'était il y a plus de

dix ans, pensa Toni, et tu avais encore, à l'époque, bon pied, bon œil, l'oreille fine et la main sûre... Si seulement Maman était là... »

– Allez, ouste, on y va! disait pourtant Grand-Père. Pas une minute à perdre. Il faut ouvrir ce soir comme tous les soirs. Il n'y a pas de raison...

2. Ouvert comme tous les soirs

CHEZ FRANCETTI
RESTAURANT
Frites et Poisson

Ainsi le proclamait l'enseigne, en grosses lettres rouges, au-dessus de la porte. M. Francetti l'avait fait repeindre au printemps; il était resté sur le trottoir, campé sur ses jambes, tout le temps du travail, donnant à voix forte ses instructions à l'exécutant. Et il avait eu de la chance que le peintre se contentât de lui faire tomber dessus, par-ci, par-là, une gouttelette de peinture égarée... Tout le devant de la boutique était recouvert d'écriteaux et de pancartes hétéroclites : inscriptions en lettres plus petites sous l'enseigne principale, planchettes de bois ou morceaux de carton collés sur la baie vitrée. Thé. Café. Coca-Cola. Repas à emporter. Fumez ceci. Buvez cela. Certaines de ces enseignes, à la nuit tombée, s'éclairaient au néon.

Sitôt la porte franchie, sur la droite, on se retrouvait nez à nez avec le grand présentoir à friandises et chocolats : sa vitrine inclinée était surmontée de bocaux pleins de bonbons. Tout au bout, c'était la caisse, derrière laquelle Rosita venait de se poster, attendant les clients. Derrière elle, sur des étagères, s'alignaient d'autres bocaux à confiseries, et des paquets de cigarettes et d'allumettes.

Rosita aimait bien s'accouder au comptoir et contempler ce décor. Bientôt la scène s'animerait, le juke-box lâcherait ses flonflons, ce serait un chaud remue-ménage. Mais, pour le moment, il n'y avait pas un chat, et ce n'était pas plus mal, vu que les frites n'étaient pas prêtes, ni près de l'être! Seul un client, assis à une table sur la gauche de la porte, sirotait la tasse de thé qu'elle venait de lui servir, en grignotant un biscuit au chocolat. Il se leva, glissa une pièce dans le juke-box. Le disque se mit à tourner, et Rosita à fredonner.

C'est dans le fond de la boutique que se tenait l'essentiel : le comptoir aux frites avec, par-derrière, les grandes bassines à friture.

– Jamais un homme n'oublie son

métier, était en train de déclarer Grand-Père. Même quand on lui a dénié le droit de l'exercer...

Il y avait déjà longtemps, son fils l'avait écarté des réchauds et le vieil homme, amer, ne l'avait jamais accepté, bien qu'il eût cessé d'en discuter depuis des années.

– Non, j'imagine que ça ne s'oublie pas, répondait Toni en écho, dans un murmure incrédule, tout en jetant un regard circonspect sur la friture grésillante.

Ils avaient dû mettre à la poubelle la première tournée de pommes de terre : la graisse n'était pas assez chaude, et les frites en étaient sorties toutes pâles et ramollies. « Personne ne s'en rendra compte! » avait prétendu Grand-Père. Mais Toni les avait trouvées si peu appétissantes qu'il avait tenu à les jeter; il s'était dit que son grand-père devait avoir la vue basse pour les trouver acceptables. A présent, il se demandait si la graisse n'était pas trop chaude. Les frites brunissaient à vue d'œil, beaucoup trop vite, selon Toni, pour pouvoir être cuites à cœur. Et d'ailleurs il s'en élevait une nette odeur de brûlé. Toni émit son avis à haute voix.

– De brûlé? s'écria Grand-Père. C'est ton imagination.

– Ça m'étonnerait. Rosita!

Rosita s'avança, s'éventant de la main pour écarter la fumée de ses yeux.

– Est-ce que tu sens, ou non, une odeur de brûlé? lui demanda Toni.

– Tu parles! Et pas qu'un peu!

Encore une cargaison de frites pour la poubelle... Il ne restait qu'à maintenir les portes grandes ouvertes pour évacuer la fumée. Le courant d'air venu de la rue faisait entrer dans le restaurant des tourbillons de feuilles mortes.

Et ils se remirent à l'ouvrage : éplucher une nouvelle tournée de pommes de terre, les placer dans la machine à débiter les frites, porter la cargaison jusqu'aux cuves de friture bouillante...

– Cette fois, dit sérieusement Toni, nous allons aborder plus méthodiquement cette épineuse question de la température adéquate. Scientifiquement, je veux dire. Question d'état d'esprit.

– Et qu'est-ce que c'est que cet état d'esprit? s'inquiéta Grand-Père, soupçonneux.

– Tout simplement, dit Toni, nous allons mesurer la température de notre bain de friture avec un thermomètre.

– Ça ne se fait pas, coupa Grand-Père. La température, c'est quelque chose qui se voit, qui se sent. Tu n'as jamais vu ton père se servir d'un thermomètre pour ça!
– Peut-être, mais aujourd'hui il n'est pas là.
– Et jamais de la vie, moi non plus, je ne me suis servi d'un thermomètre!

Grand-Père en avait des tremblements dans la voix, comme s'il y allait de son honneur. C'est avec consternation qu'il vit Toni, joignant le geste à la parole, se précipiter à l'étage chercher un thermomètre. Le vieil homme s'essuya les mains sur la blouse blanche qu'il avait revêtue. C'était celle de son fils, elle était beaucoup trop grande pour lui, pendait lamentablement et s'enroulait autour de ses chevilles. Oui, son fils était un

bel homme, fort et robuste, et on ne voyait pas pourquoi il avait fallu qu'il s'en allât à l'hôpital, emporté par une ambulance, rien que pour avoir un peu glissé d'un toit...

Trois garçons s'approchaient du comptoir.

– Trois poisson-frites, trois!

– Euh... je suis désolé, dit Toni, mais ce n'est pas encore tout à fait prêt. Nous avons pris du retard, aujourd'hui. Mon père a eu un accident, voyez-vous? Si vous voulez bien patienter...

Les garçons haussèrent les épaules. Ils se consultèrent du regard. Ils ne voulaient pas patienter. Les marchands de poisson-frites, ce n'était pas ce qui manquait dans le quartier. Il venait justement de s'en ouvrir deux, ces derniers temps, deux tout neufs et tout clinquants, étincelants de chrome. Ils avaient même raflé une bonne partie de la clientèle de chez Francetti. Le trio sortit.

– Et voilà. Voilà, dit Grand-Père en ponctuant de ses mains. Voilà comment on perd des clients.

– Ce n'est pas ma faute, dit Toni en plongeant son thermomètre dans la friture.

– Nous aurions dû garder la première tournée. Elles n'avaient rien à se reprocher, ces frites...

Grand-Père, en gesticulant, venait de heurter le bras de Toni. Le thermomètre fit le plongeon dans la friture.

– Tiens, c'est malin! Regarde! s'écria Toni.

– Allez, allez! Jette-moi ces frites dans leur bain! dit Grand-Père pour toute réponse, en lâchant dans la friture une poignée de pommes de terre crues. Le grésillement qui s'ensuivit parut honnête à Toni. Il y vida tout son seau.

Rosita, pendant ce temps, remplissait salières et poivrières, et alignait les flacons de sauce et de vinaigre. Elle prenait bien soin d'essuyer, après chaque manipulation, le goulot de chaque flacon; sa mère détestait les récipients au bord sale, où la sauce coagule, dégouline et poisse. Un bon restaurant se reconnaît à la propreté de ses flacons, disait-elle. Puis Rosita donna à chaque table un coup de torchon supplémentaire, pour faire reluire le Formica rouge.

– Si j'allumais, qu'en penses-tu? demanda-t-elle à son frère.

– Oui, allume, dit-il. Il fait déjà sombre.

Elle préférait la boutique quand les lumières étaient allumées. Les couleurs étaient plus vives, les flacons étincelaient. Elle aimait le soir, la nuit. « Jeune oiseau de nuit », l'appelait sa mère.

L'odeur de frites commençait à emplir le petit restaurant. Cette fois, c'était la bonne odeur, sans le moindre soupçon d'âcreté. Rosita se rendit compte brusquement qu'elle avait faim. Elle n'avait rien avalé depuis le petit casse-croûte de midi, à l'école.

– Je meurs de faim, dit-elle.

– Moi aussi, avoua Grand-Père. Nous pourrions peut-être nous offrir un petit souper?

Toni s'essuyait le front d'un revers de manche. Il avait le visage en feu, et ses cheveux noirs plaqués sur la tête. L'heure écoulée avait été rude. Et il y aurait encore des tonnes d'autres pommes de terre à éplucher et à débiter, ce soir, sans parler du poulet et du poisson à faire frire, et des tartes à réchauffer... Et il avait des maths à faire pour le lendemain. Pourvu que Paula ne musarde pas sur le chemin du retour! Il la connaissait, elle pouvait mettre plus d'une heure à couvrir la distance d'un seul pâté de maisons : elle avait le chic pour rencontrer des camarades de classe, pour bavarder interminablement et puis rentrer innocemment en racontant qu'elle avait complètement oublié l'heure... Or, ce soir, outre son aide, Toni attendait d'elle des nouvelles de leur père.

Ils avalèrent chacun, assis à l'une des tables, une assiettée de frites et de poisson. Toni, pendant ce repas, se releva deux fois pour servir des clients. Il ne voulut pas laisser faire Rosita, malgré son insistance. Il disait qu'elle était trop

petite, qu'elle risquait de se brûler.
– C'est un garçon sérieux, tu sais, dit Grand-Père à Rosita pendant que Toni servait un client.
– Peut-être, mais moi, il ne me laisse presque rien faire.
– C'est à lui de prendre la place de son père...

Voilà. Et Paula était censée remplacer leur mère; un sacré rôle aussi celui-là.

Toni revenait à leur table.
– J'espère bien, pour Papa, que ce n'est qu'une entorse ou une foulure, dit-il en se rasseyant. Si c'était une fracture, il y en aurait pour une éternité.
– Il s'est déjà foulé ou luxé ou froissé à peu près n'importe quel endroit du corps, commenta Grand-Père.
– Comment se débrouille-t-il? demanda Rosita.

– Il prend des risques insensés.

Elle sourit. Elle ne voyait pas de mal à cela.

– Un qui ne prendra pas de risques, c'est Toni, dit Grand-Père. Lui, il mesure tout. Un thermomètre à la main.

– Et alors? On perd moins de temps, dit Toni. Et moins d'argent. Tiens, voilà Paula, ce n'est pas trop tôt!

Tous trois se tournèrent vers Paula qui entrait.

– Comment va Papa? demanda aussitôt Rosita.

– Il s'en remettra, dit Paula.

– On y comptait bien! dit Toni.

– N'empêche qu'il s'est cassé la jambe!

– Cassé? répéta Toni.

– Fracture compliquée, au-dessus du fémur, voilà ce qu'on m'a dit, précisa Paula.

– Ça n'a pas l'air d'être rien, dis donc! remarqua Toni.
– Non, et ce sera sûrement long à ressouder, conclut Grand-Père. Tout de même, quel imbécile, ce Giorgio! C'est bien de lui, cette idée d'aller faire ça quand Maria est en Italie!
– Ils ont dit qu'il en aurait sans doute pour quinze jours d'hôpital au moins, dit Paula. Et après ça, il faudra encore qu'il aille en maison de convalescence, à moins qu'il y ait quelqu'un ici pour s'occuper de lui sans arrêt.
– Je ne vois pas qui, dit Toni. Eh bien! c'est lui qui va aimer ça, des semaines d'hôpital et de maison de santé! Je vois ça d'ici, avec son caractère...
– Je préfère ne pas être une de ses infirmières, dit Paula.
– Et nous? s'inquiéta Rosita.

Qu'est-ce que nous allons faire? On ne va pas être obligés de fermer, si?
– Fermer? Fermer le restaurant? (Grand-Père avait sauté sur ses pieds.) La maison Francetti ne ferme jamais. Jamais. Nous continuerons. Tous ensemble.
– Youpi! lança Rosita.
– Je pense qu'on doit pouvoir y arriver, dit Toni. Mais ça va être dur. Il va falloir en mettre un coup, tous. Même toi, Paula.

Paula reniflait l'air, le nez inquisiteur :
– Il n'y aurait pas quelque chose en train de brûler?
– Le poisson! rugit Toni, en se ruant vers les réchauds.

3. La maison Francetti ne ferme jamais

L'heure des visites avait enfin sonné. La queue des visiteurs s'ébranla. Longeant l'allée, elle se coula dans les couloirs de l'hôpital. Rosita se délectait des odeurs diverses et du tintement des instruments. Derrière toutes ces portes fermées, elle devinait autant de tragédies et de catastrophes.

Ils trouvèrent sans peine la salle où était M. Francetti et se dirigèrent vers son lit sans avoir besoin de le voir : ils l'entendaient. Une infirmière, malencontreusement, venait de heurter son lit...

Sa jambe cassée, noyée dans le plâtre, était suspendue dans les airs grâce à un système de poulies.

– Complètement immobilisé, murmura Toni. Si on m'avait dit que je verrais ça un jour...

– Eh bien, mes pauvres petits, lança leur père. Comment donc allez-vous faire, sans votre père pour veiller sur vous?

– Ça va, dit Toni, on s'en sort.

– Allons, venez donc un peu par ici m'embrasser, vous autres.

Ils l'embrassèrent chacun à leur tour et Rosita, précautionneusement, se percha sur le rebord du lit.

– Fais bien attention de ne pas remuer d'un pouce. Vous n'avez

pas idée... Si on me heurte tant soit peu, c'est la mort! La mort, c'est moi qui vous le dis! Et cette idiote d'infirmière, là, que vous voyez, vous n'imaginez pas comme elle est empotée!...

L'infirmière en question s'approcha et dit :

– Je suis désolée, monsieur, mais vous n'avez droit qu'à deux visiteurs à la fois.

– Deux visiteurs à la fois? Qu'est-ce que c'est que cette ânerie?

– C'est dit dans le règlement de l'hôpital, monsieur, dit l'infirmière.

– Le règlement! Mais moi, je m'en moque, du règlement!

– C'est pour votre bien, monsieur Francetti. Pour que vous ne soyez pas trop fatigué...

– Fatigué? On voit que vous ne me connaissez pas! Tous les soirs, je sers à dîner à des centaines de clients dans mon restaurant et, lorsque c'est fini, je serais encore capable de faire trois fois le tour du parc en courant!

– Oui, mais pas avec une jambe cassée.

– Allons, sauvez-vous, mademoiselle!

Ainsi congédiée d'un geste, l'infirmière s'éloigna dignement, mais le tangage au bas de son dos disait clairement son indignation.

– Et maintenant, racontez-moi tout, dit le père.

Après qu'ils lui eurent relaté tout ce qu'ils jugeaient bon qu'il sût, il parut soulagé :

– Alors, comme ça, vous avez l'air de vous en tirer... J'étais justement en train de me demander s'il ne faudrait pas essayer de joindre votre mère, là-bas, en Calabre, pour lui dire de revenir. C'est que les affaires n'allaient pas trop fort, justement, ces temps derniers. Les deux confrères qui viennent d'ouvrir nous font bien du tort.

– Non, il ne faut pas prévenir Maman, intervint Paula. Elle n'a jamais pris de vacances depuis qu'elle est mariée. Elle me le disait juste avant de partir. Ce ne serait pas bien de la faire revenir.

– Je n'y suis pour rien, protesta son père. Seulement, nous ne devons pas chômer, si nous voulons que vous fassiez des études. Pas question de fermer le restaurant, voilà ce que je veux dire; et pas question non plus de le laisser aux mains de votre grand-père tout seul. Il n'est vraiment plus du tout capable de mener ce genre de choses.

– Tout ira bien, Papa, dit Toni

d'une voix persuasive. Ce n'est pas la peine de rappeler Maman, et nous tiendrons le restaurant nous-mêmes.

– Seulement, si vous n'y arrivez pas, il faudra la rappeler quand même. Nous ne pouvons pas nous offrir le luxe de fermer. Si nous le faisions, les deux autres nous rafleraient toute notre clientèle.

Presque toute la salle, malades et visiteurs, prêtait l'oreille à cette conversation. Elle semblait avoir plus d'intérêt que tout ce qu'eux-mêmes avaient à se dire et puis, il faut l'avouer, M. Francetti avait ce qu'on appelle une voix qui porte.

– J'ai préparé un petit écriteau, dit-il. Rosita, veux-tu regarder dans le tiroir? Tu l'y trouveras.

Il adorait préparer des affichettes et des panonceaux. Avec son voisin et ami, M. Pindi, l'épicier indien, ils s'en donnaient à cœur joie et couvraient tous deux leurs vitrines de tant et tant d'inscriptions qu'on ne voyait même plus ce qui était à vendre par-derrière. Un jour que Toni le lui avait fait remarquer, M. Francetti avait répondu que c'était tant mieux : ainsi les passants étaient tentés d'entrer pour voir à l'intérieur. La curiosité, selon lui, était l'un des grands ressorts d'une publicité bien faite.

Rosita sortit l'affichette du tiroir. L'inscription était faite à l'aide de deux crayons feutre, un rose et un pourpre, utilisés alternativement à chaque mot. On pouvait y lire :

FERMÉ POUR LES REPAS DE MIDI EN RAISON D'UN ACCIDENT MALHEUREUX ET FORTUIT SURVENU AU PROPRIÉTAIRE – MAIS OUVERT COMME TOUJOURS TOUS LES SOIRS – LA MAISON FRANCETTI NE FERME JAMAIS

Et c'était signé, d'un élégant paraphe :

Giorgio Francetti.

Toni et Paula échangèrent un regard par-dessus la tête paternelle. Rien à faire, il faudrait afficher ça : sans quoi, M. Pindi irait le lui dire.

– Oh! la jolie petite affiche! s'écria Rosita.

– Toi, tu as hérité mon tempérament d'artiste, ma Rosita, lui dit son père. Et tu es bien la seule.

Rosita le contemplait, rayonnante. « Pauvre Papa, se disait-elle, ses affaires lui donnent du souci. » Mais il devait y avoir moyen de l'aider. Il devait y avoir moyen de promouvoir ce petit restaurant, de lui rendre sa prospérité. Il faudrait trouver un plan...

Toni s'empara de l'affichette et promit de la fixer dans la vitrine.

Ils avaient déjà placé un écriteau informant : FERMÉ À MIDI JUSQU'À AVIS CONTRAIRE, mais il était vraiment inutile de le dire à leur père.

– Regardez qui arrive! venait de s'écrier Rosita. Grand-Père et M. Pindi!

Grand-Père et M. Pindi s'avançaient dans l'allée, escortés d'une bouffée d'un délicieux mélange de senteurs, les odeurs mariées de la friture et du curry. M. Pindi portait un bol recouvert d'un linge et Grand-Père avait empaqueté quelque chose dans du papier journal.

– Ah! mes bons amis! s'écria M. Francetti en claquant des mains. Vous, au moins, vous savez ce que j'aime. Si vous saviez combien ça me manquait, ici, de vraies bonnes choses à me mettre sous la dent! Tout ce qu'ils vous servent, ici, c'est de la lavasse, des bouillies molles tout juste bonnes pour les vieilles grands-mères et les nourrissons.

Il prit le paquet enveloppé de papier journal et le défit. Les frites qu'il contenait avaient reçu une dose généreuse de sel, de sauce et de vinaigre.

– Ah! quel nectar! Délicieux, Papa!

– Tu vois, je n'ai pas perdu la main!

Toni, soupçonneux, se dit que peut-être Grand-Père avait simplement acheté ces frites au marchand du coin, tout près de l'hôpital.

– Et ce curry, Mahomet! une merveille!

Il prit une frite, la trempa dans le bol de légumes au curry. Tous salivaient de le voir faire et de humer ce fumet. Le patient du lit d'à côté faillit tomber dans la ruelle, pour s'être penché un peu trop, histoire de mieux voir.

L'infirmière revenait :

– Je suis navrée, mais vous n'êtes pas autorisé à manger à cette heure-ci. On va vous servir le thé, après l'heure des visites.

– Le thé! s'écria le père, dédaigneux. Deux petits bouts de pain noir et une colle rouge qu'ils appellent confiture!

L'infirmière allongeait le bras pour s'emparer du bol de curry.

– Ah non! ça, non! dit M. Francetti en écartant le bol pour le mettre hors de sa portée.

– Tout ce qu'on vous apporte, vous êtes censé le donner à la sœur. Et puis, vous n'avez pas droit à cinq visiteurs!

– Allez plutôt trouver un malade

qui n'a pas de visite, et racontez-lui une histoire!

L'infirmière s'éloigna, et ils se mirent tous à rire. Le reste de la salle s'esclaffait aussi.

– Alors, j'amuse tout le monde, non? dit M. Francetti. Et c'est bon de rire.

Quelques minutes plus tard, l'infirmière revenait dans la salle, escortée de la sœur responsable de l'étage.

– Oh, oh! des ennuis? s'enquit M. Pindi.

– Ne vous en faites pas, je sais y faire, fit M. Francetti, rassurant.

Les visiteurs s'écartèrent pour laisser le passage à la sœur. Elle se tenait très droite, les mains serrées sur son tablier amidonné.

– Monsieur Francetti... commença-t-elle.

Il lui coupa la parole.

– Ma sœur, vous êtes ravissante aujourd'hui! Et vous avez les plus beaux yeux que j'aie jamais vus chez une femme.

– Bon, monsieur Francetti, ne soyez pas ridicule.

Ses joues avaient légèrement rosi. Paula menaçait d'exploser de rire. Toni la gronda d'avance d'un petit signe de tête. En fait, leur père ne mentait pas : la sœur avait des yeux particulièrement beaux.

– Mais ils sont beaux surtout quand vous les laissez se radoucir.

– Mon-sieur Fran-cet-ti.

– Appelez-moi donc Giorgio.

D'une voix décidée, sans être sévère, la sœur le rappela à l'ordre :

– Vous savez bien que vous ne devriez pas manger des frites et du curry à cette heure-ci.

– En voulez-vous une? demanda

M. Francetti, en sortant une frite du paquet. Tout droit de mon propre restaurant. Elles sont un peu froides, maintenant. Demain, si vous voulez, mon père en apportera pour vous tout spécialement.

– Non, franchement, je vous remercie...

Elle marqua une pause. Ils comprirent qu'elle était près d'abandonner. Elle poursuivit, d'une voix moins ferme :

– Vous n'avez pas droit à cinq visiteurs ensemble, mais comme c'est presque la fin de la visite, pour aujourd'hui je ne les mettrai pas à la porte.

– Ma sœur, vous êtes adorable!

La sœur s'éloigna, faisant sonner ses talons, suivie de l'infirmière qui, derrière elle, lança un regard noir.

– Cette petite, là-bas, c'est un vrai

fléau, dit M. Francetti. Une rabat-joie. Mais la sœur, elle, est très bien.

– Giorgio! s'écria Grand-Père, on dira ce qu'on voudra, mais il n'y a vraiment que les Italiens pour savoir parler à une jolie femme.

Il se lissait la moustache, fier et pensif.

Une cloche tinta, marquant la fin de l'heure de la visite. M. Francetti termina son curry et enveloppa le bol vide dans le papier journal.

– Merci, Mahomet, c'était vraiment bien brave de songer à moi. Un jour, ce sera moi qui ferai de même. Vous reviendrez, n'est-ce pas? Et vous aussi, mes enfants? Il faudra venir chaque jour, pour me tenir au courant des affaires. Et n'oubliez pas notre slogan : LA MAISON FRANCETTI NE FERME JAMAIS.

– Bon sang! on se croirait en temps de guerre, marmonna Paula.
– Et alors? C'est un peu vrai, dans un sens, dit Rosita. En tout cas, c'est l'état d'urgence.

Ils embrassèrent leur père. Ils furent les derniers à quitter la salle. La sœur était postée à la porte, au-dehors.
– J'espère que notre père s'améliore, dit Toni, un peu au hasard, pour dire quelque chose.
– Oh! ce n'est pas le plus commode des patients, répondit la sœur.
– Ce n'est pas le plus commode des pères, non plus, murmura Paula.

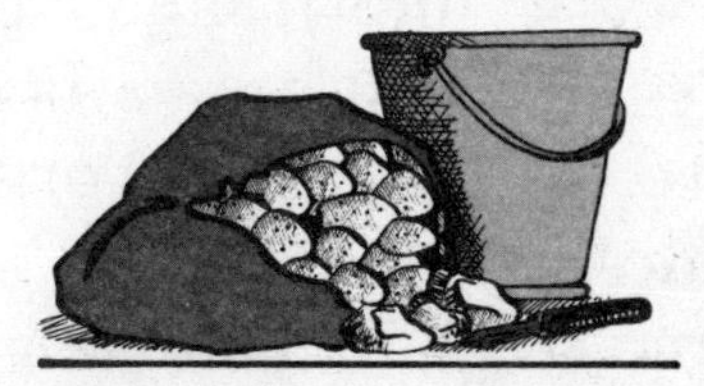

4. Un défi

– C'est un défi, un pari à tenir, dit Toni. Mais je suis sûr que nous devons pouvoir y arriver.
– Là, c'est bien un Francetti qui parle! approuva Grand-Père en lui donnant une tape sur l'épaule.
– Le tout est de s'organiser, poursuivit Toni, qui dressait déjà une liste de ce à quoi il fallait penser.
– Ça, c'est un peu moins Francetti. Ton père n'a jamais su s'organiser, jamais de la vie.
– Oui, mais il faut voir où ça vient

de le conduire! s'écria Paula, en jetant dans son seau une pomme de terre épluchée.

Elle s'essuya les mains à son tablier et redressa son dos fatigué. Elle se demandait comment sa mère avait pu survivre à tant

d'années d'épluchage de pommes de terre.
– Rosita, pria Toni, veux-tu t'occuper de la vente des bonbons, s'il te plaît ?

Rosita, toute heureuse, s'en alla se poster derrière le comptoir de confiserie. Elle fredonnait à mi-voix tout en pesant ses bonbons et en rangeant ses petites pièces dans le tiroir-caisse. Elle regrettait sincèrement l'accident paternel, mais il lui fallait admettre qu'il y avait à l'aventure d'agréables compensations. Le rayon des fritures, d'ordinaire, c'était le royaume de ses parents, et Toni et Paula suffisaient largement pour donner un coup de main au comptoir des bonbons et des cigarettes pendant les heures de pointe.

Un groupe de jeunes gens venaient d'entrer. Ils étaient huit,

Rosita les avait comptés au fur et à mesure qu'ils franchissaient la porte. Elle n'aimait pas trop leur allure. Ils lui semblaient du genre à faire des histoires. Quand le père était là, il savait bien s'y prendre avec les garçons de cette espèce. Un rugissement, une menace brève; d'ordinaire, c'était suffisant.

L'un des garçons glissa quelques pièces dans le juke-box. Le reste de la bande s'assit à des tables, jambes étalées de tout leur long, si bien qu'ils occupaient la moitié du restaurant à eux sept.

– Service! ordonna bien fort le plus grand de la troupe, celui aussi qui prenait le plus l'air d'un dur.

Et il accompagnait sa demande de coups répétés sur la table, avec un flacon de sauce tomate.

– C'est un self-service, ici, dit Rosita.

Il se tourna vers elle.

– Dites, les gars, visez ça, un peu! Si petite, et déjà tant de culot! Hé, bout de chou! tu arrives à y voir par-dessus ton comptoir?

Toute la bande se mit à rire, et Rosita se dit qu'ils s'amusaient de peu. Avec son pied, elle fit avancer le long du comptoir une vieille boîte de bonbons et se percha dessus.

– Oh, oh! on vient de grandir, comme ça, tout d'un coup?

– Pas besoin d'être aussi grand que vous, si c'est pour être aussi impoli, répliqua Rosita.

Le garçon se leva. A grands pas, il s'approcha du comptoir et s'y accouda.

– Tu es drôlement culottée, toi, la gamine.

Mais déjà Toni surgissait derrière Rosita.

– Vous désirez quelque chose?
– Oui. Huit poissons...
– Alors, si vous voulez bien faire la queue et prendre votre tour...
– Faire la queue, pas question!
– Dans ce cas-là, vous n'aurez rien, dit Rosita.

Elle savait que Toni lui revaudrait plus tard ce coup de langue trop longue. Il disait qu'il vaut toujours mieux garder son sang-froid; mais Rosita, pour l'instant, se sentait capable de n'importe quoi, sauf de sang-froid. Elle aurait aimé pouvoir empoigner ce gaillard par sa longue tignasse blonde et la lui tirer bien fort, des deux mains.

Le garçon la dévisageait par-dessus le comptoir. Elle lui rendait son regard sans sourciller, bien qu'elle sentait son cœur cogner à tout rompre.

– Rosita, dit Toni d'une voix

douce, tu ne crois pas qu'il serait l'heure d'aller au lit?

L'animal! Rosita, sur le moment, aurait pu le tuer, dans sa rage. Vraiment, comme elle le dit le lendemain à Susan, dans la cour de récréation, on peut compter sur les frères aînés pour attenter à votre dignité aux pires moments qui soient. Mais Susan avait la chance de n'avoir pas de frère aîné, une chance que d'ailleurs elle ne savait pas apprécier.

– Hou, hou, bonne nuit! minauda le grand gaillard, en ricanant doucement. Là-haut, tu seras à ta place. Va vite faire dodo, va te faire border, va. Et n'oublie pas ton nounours.

Rosita ne bougea pas. Elle évitait de regarder son frère.

Grand-Père arrivait de derrière le comptoir aux frites.

– Des ennuis? demanda-t-il, en s'essuyant les mains et en lissant ses moustaches.
– Non, non, dit Toni.
– Non, mais vous pouvez en avoir si vous y tenez! lança le garçon.
– Merci, ça va, on n'y tient pas, rétorqua Toni.
– Moi, je sais remettre les choses d'aplomb, dit Grand-Père. Et vite fait!
– Ah bon! c'est vrai, ça, Grand-Père? dit l'autre, en portant toute son attention sur le vieil homme.
– Oui, c'est vrai. Allez, ouste, sortez d'ici, et *pronto!*

Toni soupira. Sa famille était suprêmement douée pour faire naître des ennuis là où il n'y en avait pas ou, alors, là où il y en avait si peu, pour transformer une taupinière en montagne.

Toute la petite bande, à distance,

observait la scène, prête à se joindre à la controverse si besoin était. C'était une brochette de fauteurs de troubles bien connus dans le quartier. Ils semblaient n'avoir jamais rien d'autre à faire qu'à traîner dans les rues.

– Des marchands de frites, ce n'est pas ça qui manque. On n'a pas besoin d'aller perdre notre argent ici.

– Parfait, dit Rosita. De toute façon, votre argent, nous, on n'en veut pas.

Toni lui décocha en douce un coup de pied d'avertissement dans les tibias.

– Ne t'en fais pas. Tu n'en verras pas la couleur, assura le garçon. (Il se tourna vers ses copains.) Bon, vous venez, les gars? On laisse tomber cette boîte minable.

Ils se remirent debout.

– Comme des moutons, commenta Rosita à voix haute. Suivez le guide!
– Rosita! gronda son frère.

Tout en se dirigeant vers la porte, l'un des garçons se cogna contre une table. Il fit semblant de chanceler et heurta la table de nouveau, plus fort, une deuxième fois. Les flacons de sauce et de vinaigre prirent la direction du sol. Il y eut un bruit de verre cassé, et la sauce tomate et le vinaigre s'étalèrent paisiblement sur le plancher.
– Désolé, pas fait exprès, dit le garçon en avançant les mains.

Paula surgit du fond de l'arrière-boutique.
– Eh! que se passe-t-il par ici? demanda-t-elle, en regardant alternativement le plancher jonché de débris et la bande de garçons.
– Oh, rien! dit le chef. Un petit peu de saleté à nettoyer, c'est tout.

– Dites, c'est à vous de nettoyer ça, répliqua Paula.

– Compte là-dessus et bois de l'eau!

Ils se dirigèrent vers la porte.

– Et tâchez de ne pas revenir mettre vos nez par ici! avertit Rosita.

– Rosita, enfin, sauras-tu un jour tenir ta langue? s'exclama Toni.

Le chef de la bande marqua une pause près de l'entrée.

– Oh! que si, on reviendra! T'en fais pas : tu nous reverras!

L'instant d'après, ils avaient disparu.

– Ah! ceux-là, je ne les aime guère, dit Grand-Père en hochant la tête.

– Grand-Père est merveilleux dans l'art de minimiser sa pensée, ironisa Paula.

– Et toi, tu es merveilleusement sarcastique, dit Rosita.

– Il y a vraiment des moments où

je voudrais que vous soyez capables de vous taire un peu, tous! dit Toni en se baissant pour ramasser le verre cassé. Vous êtes très doués pour faire marcher vos langues et nous attirer des ennuis.

– Des ennuis, approuva Grand-Père. Voilà ce qu'ils cherchent. Ce qu'ils reviendront chercher.

– Celui qui mène la bande, dit Paula, il s'appelle Dan McGill. C'est dommage qu'il joue les gros durs. Je trouve qu'il présente bien, à part ça. Il est même plutôt chouette...

– Paula!

Rosita était outrée. Dire que l'ennemi présentait bien et qu'il était plutôt chouette, c'était de la pure trahison.

– Et puis, chez lui, ce n'est vraiment pas la belle vie, poursuivit Paula. Ils doivent être quelque chose comme dix gosses, et le père sort de prison.

– Écoute, pour le moment, là n'est pas la question. Va plutôt me chercher un torchon, dit Toni qui se sentait les nerfs à vif, ce qui lui arrivait rarement. Décidément, ce soir-là, ses sœurs ne faisaient pas précisément ce qu'il attendait d'elles. Rester plantées là, debout, au milieu d'un gâchis de sauce et de verre cassé, et ne rien trouver de mieux à faire que de discuter sur un certain Dan McGill!

En ramassant les bouts de verre, il s'entailla la paume de la main. Son sang se mélangea à la sauce ketchup.

– Ah! je vous jure, dit Rosita. Les hommes!

– Tiens, tu deviens aussi doué que Papa! commenta Paula, en lui prenant le poignet.

– Merci pour toute votre sympathie, dit Toni qui pressait fort de son autre main pour atténuer la douleur.
– Allons laver ça sous un robinet, décida Paula, pour voir si c'est grave.
– Grand-Père, surveille bien les frites! lança Toni, tout en se laissant emmener par sa sœur en direction de la cuisine.

Quand Paula eut nettoyé la blessure de sa sauce tomate, ils constatèrent que la coupure était large et profonde.
– Il faudrait peut-être des points de suture...

Toni acquiesça.
– Je crois que je ferais aussi bien de faire tout de suite un saut chez le médecin.

Et il sortit, la main enveloppée dans une serviette propre.

Dans le petit restaurant, la queue s'était allongée devant le comptoir des frites. La sueur coulait à grosses gouttes du front de Grand-Père qui s'affairait, héroïquement, à repêcher ses frites, à les assaisonner et à les envelopper. Dans ses efforts pour agir vite, il en laissait tomber par terre, renversait du sel sur le comptoir, et envoyait du vinaigre dans toutes les directions.

Rosita déserta son comptoir pour lui venir en aide.

– On peut t'aider, Grand-Père? Je ferai bien attention.

– Et pourquoi pas? Comme tu le disais, c'est vraiment l'état d'urgence.

Toni revint, la main enfouie sous un bandage blanc comme neige.

– Six points de suture, dit-il, lugubre. Et il faudra que j'y retourne la semaine prochaine pour me faire enlever les fils.

– Pauvre Toni! s'écria Rosita.

– Avec ça, tu ne pourras pas faire de frites, conclut Paula.

Elle écarta de son front une mèche noire. Elle avait travaillé sans arrêt toute la soirée. Ils en étaient tous là, d'ailleurs.

– Et maintenant, qu'est-ce que nous allons faire? ajouta-t-elle.

– Il reste toi et moi et Rosita, dit Grand-Père. A nous trois, nous y arriverons.

– Bien sûr! affirma Rosita.

Toni soupira :

– J'ai bien l'impression qu'un mauvais sort s'acharne sur cette famille. Un petit peu de chance ne nous ferait pas de mal, pour changer.

– Peut-être, peut-être que la

chance va nous revenir, insinua Rosita, l'air mystérieux.

Elle venait d'emprunter des livres, à la bibliothèque municipale, sur la bonne marche des commerces et les techniques de promotion. Elle avait déjà plusieurs petites idées derrière la tête, un plan qui prenait forme...

– Cette fois, Rosita, il est vraiment l'heure que tu ailles au lit. Tu as les yeux vagues.

Rosita dédia à Toni, avant de monter se coucher, un léger sourire de commisération. Il n'oserait pas l'envoyer au lit sur ce ton-là lorsqu'elle aurait rendu la prospérité au restaurant familial, pour le moment au bord de la faillite.

5. Le plan de Rosita

Accroupies au fond d'un préau de la cour de récréation, Susan et Rosita étaient en train de croquer une tablette de chocolat venue tout droit du comptoir de confiserie Francetti. Chaque fois que son père surprenait Rosita prête à partir en classe avec tout un chargement de friandises pour ses petites amies, il tonnait après sa fille. Rien d'étonnant, disait-il, si la maison ne faisait pas de bénéfices! Mais il n'avait jamais pu vraiment l'empêcher de le faire.

Il pleuvait à seaux, dans la cour, si bien que les préaux fourmillaient d'écoliers, tous en train de grignoter en bavardant, ou d'échanger des coupures de journaux et de magazines. C'était la folie du moment. Le trimestre d'avant, ç'avait été les élastiques. On attachait les uns aux autres des douzaines de bracelets élastiques, on les tendait entre les pieds de trois camarades pour former un triangle, et hop! chacun son tour, on sautait par-dessus, dedans, dehors, dedans, dehors, jusqu'à ce qu'on s'y fût pris les pieds... Les papeteries du quartier avaient eu fort à faire, durant quelque temps, pour répondre à la demande en élastiques. Et maintenant, il leur en restait tout un stock sur les bras, qui prenait la poussière en haut des étagères...

Rosita et Susan n'échangeaient que des confidences : elles avaient tant à se dire! Susan se délectait à entendre conter par le menu les riches heures de la maison Francetti. Il s'y passait toujours des choses extraordinaires. Les événements, chez elle, étaient une denrée rare : elle était fille unique d'un père agent d'assurances. Ce dernier ne tombait jamais des toits, pas plus que sa mère ne quittait la maison, serait-ce pour un seul jour.

– Susan, tu sais? dit Rosita d'une voix solennelle. La maison Francetti est au bord de la faillite.

– La faillite...? répéta Susan, qui devinait au ton de son amie que c'était quelque chose dont il ne faut pas rire.

– Oui. Nos affaires marchent mal. Très mal.

Rosita hochait le menton, l'air pénétré.

– Tu veux dire que... vous pourriez être obligés de fermer le restaurant? dit Susan, horrifiée.

– On pourrait en arriver là, oui.

Rosita cassa en deux ce qu'il restait du chocolat et en tendit la moitié à Susan. Puis son visage s'illumina :

– Mais tout n'est pas encore perdu, dit-elle en baissant la voix. J'ai mon plan. Et j'ai besoin de ton aide, Susie.

– Ton plan? Quel genre de plan?

– Tu vas voir. Je vais mettre sur pied une grande campagne publicitaire. J'ai lu un article, l'autre jour, qui disait que la publicité, c'est finalement l'essentiel. Tu sais bien, à la télé, quand on voit passer une publicité pour du chocolat fourré à ceci ou à cela, on a tout de suite envie de se précipiter pour en acheter, non?

– Si, mais tu ne vas tout de même pas faire de la publicité pour votre restaurant à la télé, si?

– Bien sûr que non. (Rosita haussa une épaule. Cette Susan, tout de même! C'était dur d'être son amie, parfois : il fallait tout lui dire, et mettre les points sur les « i ».) Mais il y a bien d'autres façons de faire de la publicité, imagine-toi. Ce qui compte, c'est la manière de présenter ton produit : il faut qu'il attire les gens.

– D'accord, mais pour des frites et du poisson frit...?

– Tu verras, tu verras. Tu seras bien étonnée, dit Rosita.

La cloche sonnait la fin de la récréation. Les écoliers, en toute hâte, ramassèrent leurs coupures éparses et coururent se mettre en rang sous la pluie. Susan et Rosita se relevèrent et rejoignirent, sans se presser, le gros du peloton.

Il n'y eut pas foule au restaurant, ce soir-là. C'était souvent le cas, en milieu de semaine, comme le rappela Toni; il n'y avait donc là rien d'inquiétant. Mais Grand-Père ne se laissait pas convaincre.

– C'est la dégringolade, disait-il. Nous perdons tous nos clients. Je n'aurais jamais cru voir ça un jour.

– Ne sois donc pas défaitiste, enfin, Grand-Père! protestait Paula. Un milieu de semaine, et un soir de pluie, par-dessus le marché! Les gens n'osent même pas sortir de chez eux.

– La caisse est au plus bas, cette semaine, n'est-ce pas, Toni? s'informa Grand-Père.

– Oui, admit Toni. Là, on n'y peut rien.
– Peut-être que si! dit Rosita. Si on fait une fin de semaine exceptionnelle, on peut très bien rattraper les choses.
– Et comment veux-tu faire une fin de semaine exceptionnelle, explique-moi ça? demanda Paula. En allant chercher les clients au coin de la rue et en les amenant ici à la pointe d'une baïonnette?
– On ne sait jamais. Il y a des méthodes, des stratégies...
– Eh bien, vrai, ma pauvre Rosita, si tu te mets à avoir des lubies, comme Papa, on n'a pas fini!

Rosita lui tourna le dos et revint prendre place derrière son comptoir aux bonbons. Des lubies! Elle leur ferait voir. Ils lui en seraient éternellement reconnaissants. Elle se voyait déjà, distante et légèrement réservée, au milieu de toute sa famille l'entourant de louanges.

– Hé, réveille-toi, Rosie! lui lança Toni au passage. Tes tablettes de chocolat ont le mal de mer.

Elle lui décocha un regard noir et redressa la pile de tablettes de chocolat. Quand elle releva la tête, ce fut pour voir entrer Dan McGill. Sa bande était sur ses talons, secouée d'éclats de rire, chahutant et se bousculant pour se mettre à l'abri de la pluie. Ils s'ébrouèrent comme des chiots, éclaboussant les tables de l'eau de pluie de leurs chevelures.

Toni et Paula étaient à la cuisine. Grand-Père se tenait derrière le comptoir aux frites. Il se carra les épaules en les apercevant, et lissa ses moustaches.

La petite troupe, d'un air tran-

quille, vint s'accouder au comptoir.
– Enlevez-moi vos coudes de là, s'il vous plaît! dit Grand-Père.
– Enlevez-moi vos coudes! singea l'un des garçons.

Ils s'esclaffèrent et laissèrent leurs coudes où ils étaient.
– Votre clientèle nous est indésirable, dit Grand-Père à Dan McGill, qui tenait l'arrière-garde de son escouade.
– Ah bon? Qu'est-ce qui vous déplaît, dans ma clientèle?
– Nous n'aimons pas votre argent.

Dan McGill déposa sur le comptoir un billet d'une livre.
– Mon argent? Il est comme celui de tout le monde. Un plat au poisson! Sel et vinaigre!

Grand-Père repoussa le billet du bout de l'ongle :

– Qui sait d'où vient ce billet...
– Dis donc, Grand-Père, j'aimerais savoir ce que tu veux dire par là?

Les traits de Dan McGill s'étaient durcis. Rosita retint son souffle.

– Ton père n'a pas tellement bonne réputation, si? souffla Grand-Père.

Dan McGill allongea le bras et empoigna Grand-Père par les revers de sa veste blanche.

– Espèce de vieux fou!

Rosita se précipita vers l'arrière-boutique, en appelant Toni à tue-tête.

Toni survint à grandes enjambées, embrassa la scène d'un coup d'œil et dit à Dan McGill :

– Lâche-le.

Dan se garda d'obtempérer :

– Il a insulté mon argent. Et mon père.

– C'étaient des paroles en l'air, dit Toni.

Grand-Père avait les yeux en boules de loto. Paula entra en scène. Elle foudroya Dan du regard :

– Grande brute! lui cria-t-elle.

Toute la petite bande se mit à ricaner.

– Oblige-le à me présenter des excuses! ordonna Dan à Toni.

– Commence par le lâcher. Tu vas lui faire mal. C'est un homme âgé.

– Bon, d'accord, je le lâche, mais qu'il me présente des excuses.

– Des excuses? Sûrement pas! dit Grand-Père, et il brandit son bras droit qui était armé d'une tranche de poisson.

Il en assena un coup à Dan McGill sur le dos de la main. Dan poussa un jappement, retira sa main, et Grand-Père recula hors de sa portée. Il redressa l'aplomb de sa veste blanche.

– Tu avais bien besoin d'une leçon! conclut-il à l'adresse du grand gaillard.

Dan suçait le dos de sa main. Sa petite bande bourdonnait de rage. Toni était fermement arrimé à l'abattant du comptoir qui les séparait de la clientèle.

– Dites, on va pas laisser faire ça! martelait un garçon. Faut pas se laisser marcher sur les pieds, non mais, des fois! Qu'en pensez-vous, les gars?

– Oh, fichez-lui la paix! lança Paula, sèchement. Vous n'avez pas vu l'âge qu'il a?

– Ouais, et il a de la veine! dit Dan McGill. Je peux te garantir que sans ça...! S'il avait cinquante de moins, tiens...!

– Oh! mais moi, déclara Grand-Père, tu ne me fais pas peur, va! Et je peux bien te le dire : tu n'es qu'un propre à rien!
– Grand-Père! Pour l'amour du ciel! s'écria Paula, au bord de l'exaspération. Si tu allais plutôt dans la cuisine?
– Oui, c'est ça, dit Toni. Va dans la cuisine, et prends-toi une tasse de café.
– Viens, Grand-Père, dit fermement Rosita en lui prenant le bras.

Il tremblait.

Dan McGill se tourna vers sa troupe.
– On met les voiles. Rien à foutre ici. Y a d'autres endroits pour acheter des frites, on s'en va.

Ils sortirent en chœur de la salle, bruyamment, bousculant à plaisir, au passage, tables et chaises en travers de leur chemin.

Rosita conduisit son grand-père à une chaise de la cuisine et lui versa une tasse de café de la cafetière tenue au chaud sur le coin du poêle. Elle lui passa ses petits bras autour du cou.

– Ne te tourmente donc pas comme ça, Grand-Père. C'est une bande de mal élevés.

– N'empêche qu'ils doivent le respect aux anciens.

– Mais tu n'aurais quand même pas dû dire ça à Dan McGill, tu ne crois pas, Grand-Père? lui fit-elle remarquer doucement.

– Rosita... Ne me dis pas que toi aussi tu vas te mettre contre moi!

Rosita ravala un soupir. Elle aurait tant voulu pouvoir expliquer à son grand-père qu'on ne dit pas n'importe quoi à n'importe qui, surtout quand on est dans le commerce! Mais Grand-Père était têtu, et il y avait des quantités de choses qu'il ne voulait pas comprendre.

– Ce n'est pas la faute de Dan McGill si son père a fait de la prison, plaida-t-elle.

– Il a l'air d'un *hooligan*[1], dit Grand-Père.

Rosita resta auprès de lui un moment. Il but son café en hochant la tête; et en marmottant des imprécations contre la jeune génération. Tout était tellement différent de ce qu'il avait connu, au temps de sa jeunesse à lui, en Italie!

– Mais c'était il y a longtemps, tentait d'expliquer Rosita. Et tous

1. Hooligan : L'origine du terme est incertaine. Il désignait, au lendemain de la révolution russe : les voyous, les inadaptés, les vagabonds en bandes. En Angleterre, se dit encore des jeunes qui jouent les gros durs.

les garçons ne sont pas des *hooligans,* Grand-Père!

– Toni, non. Il est bien, Toni. Mais les autres!

– Tu dis que Toni est bien parce que tu le connais, voilà. Et les autres, tu ne les connais pas. Peut-être que si tu les connaissais, tu dirais aussi que ce sont de bons garçons...

Grand-Père demeurait sceptique. Il continua de marmonner, jusqu'à ce qu'enfin, dodelinant de la tête, il se mît à ronfler. Rosita déposa un baiser sur sa joue rêche. Elle l'aimait. Même s'il était parfois entêté jusqu'à la sottise, et même s'il ne comprenait jamais que ce qu'il voulait bien comprendre.

Le restant de la soirée, la clientèle fut très clairsemée. Paula et Toni, derrière leur comptoir, montèrent la garde en lisant, sans guère échanger une parole. L'incident McGill les avait contrariés, et chacun se demandait quelle conduite adopter à l'égard de Grand-Père. Leur mère aurait su que faire, elle; mais elle était bien loin d'ici, tout là-bas, en Calabre. Grand-Père dormait dans la cuisine, la bouche grande ouverte, les mains pendantes de chaque côté de son siège. Rosita monta se coucher tôt, mais ce n'était pas pour dormir.

Quand Paula monta à son tour, elle vit que sa petite sœur n'avait pas encore éteint. Elle passa sa tête par la porte entrebâillée.

– Hé? Tu ne dors pas encore? souffla-t-elle.

Rosita, assise sur son lit, au milieu d'un déploiement de papiers et de cartons, sursauta de surprise.

– Si, j'y allais, dit-elle, en rassemblant fébrilement son matériel.

Elle était devenue écarlate.

– Qu'est-ce que tu fabriques, on peut savoir? demanda Paula en entrant dans la chambre. Tu n'as pas l'air d'avoir la conscience tranquille.

– Ne dis pas de bêtises.

– Non, mais qu'est-ce que tu étais en train de boutiquer?

Paula avait saisi l'angle de l'un des papiers, mais Rosita le lui arracha des mains.

– J'étais en train de dessiner, c'est tout.

– Bon, bon, ça va, dit Paula en bâillant, trop fatiguée pour mener bataille. Allez, couche-toi. Bonne nuit, petite sœur.

Sitôt qu'elle eut tourné les talons, Rosita se remit au travail. Elle poursuivit durant une bonne heure encore et ne se résigna à éteindre que lorsqu'elle eut entendu l'horloge de l'église sonner minuit. Elle avait préparé dix affiches. Et Susan avait promis d'en faire quelques-unes, elle aussi. Rosita glissa ses œuvres sous son lit, éteignit et ferma les yeux. Quelque chose lui disait que le monde de la publicité était fait pour elle, et qu'elle allait bien s'y amuser.

6. Le monde de la publicité

Susan et Rosita ne tenaient pas en place. Toute la journée, elles avaient pouffé, lancé des coups de coude, chuchoté sans trêve à la dérobée, au risque de faire perdre patience à Mlle Bell, leur institutrice. Au pied de son bureau, Rosita avait un grand sac en papier, de ceux dont on vous fait cadeau dans les boutiques de vêtements, et il était plein de rouleaux de papier, qui semblaient bien être la cause de sa fébrilité. Mlle Bell, en longeant l'allée, avait lorgné à plusieurs reprises l'objet de tant d'excitation, mais sans succès, et sans trouver de raison valable pour le confisquer; à l'heure du casse-croûte de midi, Rosita avait emporté le précieux paquet, pour le rapporter après la récré...

L'école terminée, les deux amies quittèrent sans traîner la cour de récréation, au lieu de musarder quelque temps du côté du préau comme à l'accoutumée. Elles s'éloignèrent d'un pas digne et décidé, avec leur grand sac en papier.

– Tu crois qu'on a le droit de placer des affiches comme ça, n'importe où? s'inquiétait Susan. Tu ne crois pas qu'il faut demander une permission, ou quelque chose dans ce genre?

Rosita, une fois de plus, eut pitié

de son amie. En voilà, une idée, d'aller s'embarrasser de règlements, de décrets et d'autorisations! Des autorisations! On pouvait toujours dire qu'on ne savait pas.

– Tu sais, je n'en ai aucune idée, dit Rosita. Tu as bien la colle? C'est le plus important.

– Elle est dans mon cartable, dit Susan en le tapotant.

– On va commencer par en mettre sur les murs, à des endroits bien choisis, et puis on fera la tournée des boutiques.

Elles firent halte près du pignon de briques d'un entrepôt. Il y avait déjà là-dessus pas mal d'inscriptions et de graffiti à la craie et à la peinture. Quelques passants allaient et venaient le long de la rue, dans les deux sens.

– Tu ne crois pas qu'il vaudrait

mieux attendre qu'il n'y ait personne? demanda Susan.

– Il faudrait attendre un siècle. On n'y arriverait jamais. Si on fait notre boulot sans s'occuper d'eux, l'air tout naturel, ils ne nous verront même pas. Les gens sont bizarres, mais c'est comme ça.

Rosita disait vrai. Il y eut bien quelques curieux pour tourner la tête et regarder en passant, mais personne ne s'attarda. Et personne non plus ne s'arrêta pour leur demander si elles avaient bien l'autorisation d'apposer une affiche là.

– Tout est dans la manière de faire, dit Rosita. Le style. C'est la seule chose qui compte.

Susan pouffa :

– Le style? Le culot, tu veux dire!

Susan tenait la colle pendant que Rosita mettait l'affiche en place. Elle accordait grand soin à la besogne, vérifiant l'aplomb, consolidant l'encollage de chaque angle. Elle prit du recul pour juger de l'effet produit.

– Voilà! dit-elle en inclinant la tête de côté. Eh bien, ce n'est pas si mal. Au moins, c'est vif, et il y a de la couleur. Ça devrait attirer l'œil. Exactement ce que disait l'article. Il faut frapper. L'impact, tout est là!

– Espérons qu'il ne va pas pleuvoir. Les couleurs ne tiendraient pas.

– Susan, ce que tu es pessimiste! De toute façon, même s'il pleuvait demain, des centaines de personnes, déjà, auraient vu notre annonce.

Elles poursuivirent leur chemin. Il n'y avait pas tellement d'espaces disponibles, quand on y réfléchissait. Pas question d'afficher sur les murs des résidences... Elles placèrent une de leurs affiches sur le pignon aveugle d'une boutique. C'est Rosita qui travailla, tandis que Susan faisait le guet, au cas où le commerçant sortirait. Elles en placèrent même une autre sur la façade d'un immeuble. Puis elles trouvèrent une palissade entourant un chantier. Coller sur du bois, c'était bien plus facile que sur de la brique ou du béton; si bien que Rosita fit là, vraiment, du bel ouvrage.

– Pas un pli, pas une ride, constata-t-elle fièrement.

– Toi, tu devrais t'embaucher comme colleur d'affiches! lui dit une voix dans leur dos.

Elles firent volte-face. Sur le trottoir, les dominant, se tenait Dan McGill. Rosita lui décocha un regard sans tendresse. Mais elle était tellement prise de court qu'elle ne trouvait pas de réplique affûtée.

– Voyons, voyons, qu'est-ce qu'il y a de marqué? dit Dan en s'approchant pour tenter de déchiffrer l'affichette.

Rosita lui barra le passage.

– Ce ne sont pas tes oignons! lança-t-elle.

Il s'esclaffa :

– Elle est bien bonne! Si tu colles des affiches, c'est pour que tout le monde puisse les lire, non?

Rosita, vaillamment, plaquait son dos contre le mur. Mais il pouvait lire toute la partie de l'affiche qui lui dépassait de la tête.

– « Francetti... » lut-il, « le restaurant pas comme les autres... ». Ho, ho! Tu veux te déplacer un peu, s'il te plaît, que je puisse lire la suite?

– Non, dit Rosita sur un ton décidé, en croisant les bras.
– Ah bon? Tu resteras ici toute la nuit?

Il rit encore, puis s'éloigna.

– C'est vrai, Rosita, dit Susan, tu ne vas pas rester ici toute la nuit...
– Ne dis pas n'importe quoi, coupa Rosita. Évidemment non, je ne vais pas rester ici cent sept ans. Il faut qu'on essaie d'en poser ailleurs. On pourrait voir dans les boutiques, maintenant...

Il n'était pas question pour elles de poser leurs affiches dans les boutiques proches du restaurant : Paula et Toni les auraient remarquées. Il fallait donc aller chercher fortune plus loin, mais pas trop loin tout de même, parce qu'il y avait vraiment peu de chance pour que les gens habitant à l'autre bout de la ville choisissent d'aller

FRANC
COLL

au diable vauvert... dîner chez Francetti!

Certains commerçants se montrèrent complaisants, d'autres franchement mal vissés. Avec ceux qui étaient gentils, les gamines bavardèrent longuement, les mettant au courant des infortunes de la maison Francetti, enluminées aux couleurs de l'imagination de Rosita. Susan n'arrêtait pas de pouffer et recevait de bons coups de coude l'invitant à se taire.

– Ah! voilà vraiment de braves petites filles, dit une vieille marchande de bonbons qui tenait une boutique minuscule. Et courageuses et tout!

– Que pourrions-nous faire d'autre? demanda Rosita, modeste. Nous prendrez-vous une affiche?

– Bien sûr, bien sûr. D'ailleurs, cela ne me coûte rien.

– Merci, madame. Vous êtes gentille. Ah! si tout le monde était comme vous!

Dans la rue, Susan pouffa une fois de plus.

– Nom d'une pipe, Rosita, tu sais embobiner les gens et leur faire du charme, toi, ma vieille!

– Que veux-tu dire par là? demanda Rosita, qui avançait le nez au vent.

« Faire du charme »? Mais non! Elle se comportait naturellement, voilà tout!

– Sais-tu que je commence à avoir mal aux pieds? dit Susan en la rattrapant. Et j'ai la gorge sèche, aussi.

– On peut s'offrir un Coke, si tu veux, dit Rosita en prenant Susan par le bras.

Elle avait déjà oublié la remarque de Susan sur sa manière de faire du charme.

– Viens, ajouta-t-elle. C'est moi qui te l'offre.

Elles entrèrent dans un café et s'assirent près de la vitre. Il commençait à faire sombre, au-dehors, et les boutiques s'éclairaient une à une. Leur boisson les rafraîchit. Tout en buvant à petites gorgées, elles firent le compte des affiches qui leur restaient.

– On a bien travaillé, dit Rosita. Plus que quatre à caser.

– Rosita... souffla Susan. Regarde... Voilà Dan McGill...

Rosita leva les yeux. Dan McGill était assis là, à quelques mètres d'elles. Il les observait du coin de l'œil et arborait un large sourire.

– Crois-tu qu'il nous ait suivies? demanda tout bas Susan.

– Il en serait bien capable. Et dis-toi que ce n'est pas pour nos beaux yeux; il a sûrement sa petite idée...

– Comment ça? (Susan ouvrait des yeux tout ronds.)

– Combien je te parie qu'il cherche à saboter nos affaires, dit Rosita, la mine sombre.

– Hé, les filles! appela Dan à distance.

Rosita eut un mouvement de tête dédaigneux. Il avait l'air si content de lui! Un vrai sourire de chat du Cheshire!

Elle refit un rouleau bien serré des quatre affiches qui lui restaient et le replaça dans le sac. Elle débarrassa ses doigts de quelques pelures de colle sèche. Le tube était presque terminé, mais toutes les deux, par contre, avaient l'impression d'être bardées de colle. Sur les mains, sur leurs vêtements, sur leur sac, partout. Le métier de

colleur d'affiches était un métier salissant. Rosita se leva.
– Viens, Susan, on y va. Il va bientôt faire trop sombre, nous ne pourrons plus faire du bon travail.

Elles quittèrent leur table sans jeter un coup d'œil sur Dan McGill. Elles étaient déjà à la porte lorsque la tentation l'emporta : toutes les deux regardèrent, furtivement, pardessus leur épaule; Dan était toujours là, qui les suivait des yeux et qui souriait largement.

La rue suivante regorgeait de boutiques d'habillement. Elles s'attardèrent un peu devant quelques vitrines. Il y avait là de bien jolies choses, qu'elles auraient aimé s'acheter, si... elles avaient eu de l'argent, et si... leurs mères respectives leur avaient permis de porter ce genre de vêtements. Elles tentèrent de placer l'une de leurs affiches dans une petite boutique de confection, mais une vendeuse en robe noire les mit à la porte comme des voleuses. Elle s'exprimait absolument comme si elle avait eu quelque chose de coincé dans la joue, et un petit sourire de dédain restait suspendu au coin de ses lèvres :

– Frites et poisson frit! s'écria-t-elle. Ah, non! Il m'arrive, le cas échéant, de prendre une affiche pour une vente de charité, mais certainement pas pour un marchand de frites!

– Nous avons besoin d'aide, mais nous ne réclamons pas la charité, dit Rosita. Nous...

– C'est bien ce que je vois, coupa la dame, rien à voir avec une œuvre de charité, alors, s'il vous plaît...

C'était sans réplique.

– Il y a des bonnes femmes, je t'assure, si elles pouvaient s'entendre! commenta Rosita, un peu plus loin. Ça arrive à Paula, quelquefois, de prendre cette voix pincée, toute pleine de dédain. Dans ces cas-là, je lui dis de ne pas faire sa pimbêche.

Quatre autres commerçants, enfin, acceptèrent les quatre dernières affiches : un marchand de fruits et légumes qui leur donna à chacune une pomme, un boucher, un quincaillier, et un coiffeur dont les affaires n'avaient pas l'air d'aller fort. Rosita lui promit de recommander sa boutique aux clients du restaurant. C'était le genre de coiffeur qui exhibe dans sa vitrine la photo jaunie d'une tête coiffée à l'ancienne mode, et dont la salle de travail, minuscule, ne contient qu'un ou deux lavabos écaillés avec des restes de chevelure, et une cliente d'un âge certain, à la figure cramoisie, en train de lire un magazine sous son séchoir...

– Les affaires sont dures, de nos jours, dit le coiffeur qui n'avait guère l'air plus propre que ses lavabos. Et la concurrence est implacable.

Rosita l'approuva chaudement et ajouta qu'elle aimerait mieux voir son affiche posée en dehors de la boutique plutôt qu'à l'intérieur.

– S'il la met à l'intérieur, expliqua-t-elle à Susan sitôt qu'elles furent au-dehors, qui la verra? Pas un chat.

– Eh bien, vous deux, vous vous démenez drôlement! sussura Dan McGill dans leur dos. Il était adossé au mur, les deux mains dans les poches.

– Toi, tu nous as suivies, c'est ça? demanda Rosita.

– Apparemment, nous avions le même chemin, dit-il.

– Mouais, dit Rosita.

Il se redressa.

– En tout cas, samedi soir, vous pouvez compter sur moi, dit-il. Je ne voudrais surtout pas rater ça. A bientôt!

Et sur ces mots, il s'en fut.

Rosita était confondue. Elle n'avait pas eu le dernier mot. Elle qui y tenait tellement, pourtant! Sa mère disait au contraire qu'il fallait remercier le ciel de ne pas toujours l'avoir, sans quoi on s'imaginait avoir raison en tout et sur tout. Mais ce Dan McGill était un perturbateur.

– Rosita, dit Susan, prise de doutes. Pourvu que tout marche comme prévu!

– Ne fais pas l'idiote. Bien sûr que ça va marcher.

Il tombait à présent une sorte de petite bruine, qui gommait les toits des immeubles. Les automobilistes avaient allumé leurs feux de position.

– Il est grand temps que je rentre, dit Rosita. C'est l'heure à laquelle nous ouvrons. Grand-Père va se demander où je suis passée. N'empêche que nous avons bien travaillé, Susan. Je crois que nous avons le droit d'être fières de nous.

Elle se sentait déborder d'énergie tout en courant à la maison. Elle faillit même renverser M. Pindi au coin de la rue.

– Oh, pardon! monsieur Pindi, souffla-t-elle, hors d'haleine.

– Je reviens justement de rendre visite à ton père, dit M. Pindi.
– Ah bon! et comment va-t-il?
M. Pindi prit l'air soucieux :
– Il se tourmente terriblement pour son restaurant.
– Il a bien tort, déclara Rosita. Tout se passera très, très bien.
Elle fit le reste du trajet en compagnie de M. Pindi.
– Dis donc, où es-tu allée? se fâcha Grand-Père, lorsqu'elle apparut. D'habitude, tu rentres tout droit de l'école.
– J'étais avec Susan, plaida Rosita.
– Elle a bien le droit de jouer un peu avec ses petites amies, c'est de son âge, dit Toni.
Rosita camoufla un petit sourire. Quand ils sauraient...!

7. Toni fait une découverte

Toni était assis sur une chaise au dossier raide, à côté du lit de son père, et il sentait sa tête dodeliner, s'alourdir, s'alourdir, sans pouvoir réagir contre ce phénomène. Il finit par s'endormir pour de bon et c'est en manquant de tomber de sa chaise qu'il se réveilla enfin. Son père ne s'était aperçu de rien. Il était bien trop occupé à faire le compte de ses griefs contre l'intendance de l'hôpital. Ses mains s'agi-

taient, volubiles, et sa jambe suspendue se berçait en cadence.
– Dictatorial, mon garçon! voilà comment c'est. Il n'y a pas d'autre mot. Tout le contraire de la démocratie. Toni, tu m'écoutes?
– Oui, Papa.
– Dis donc, qu'est-ce qui t'arrive? Tu as l'air tout bizarre. Qu'as-tu fait encore?
– Oh rien! Je suis un peu fatigué.

Toni se laissa aller à bâiller et, une fois lancé, ne parvint plus à s'arrêter. Il bâillait et bâillait et rebâillait.
– Fatigué? La jeunesse d'aujourd'hui n'a plus aucun tonus. De mon temps...

La voix du père devenait de plus en plus lointaine. Toni bâilla une fois de plus; il lui revint à l'esprit qu'il avait un texte à rédiger, en anglais, pour le lendemain. Il ne voyait vraiment pas comment il y arriverait.

M. Francetti s'assit et examina son fils.

– Dis-moi, Toni, tu es sûr que tout va bien?

– Oui, Papa.

– Le restaurant? Ça tourne?

– Oui-oui.

– Beaucoup de monde?

– Oui.

– Et des sous dans la caisse, eh?

– Mais bien sûr.

– Nous n'avons pas beaucoup de marge, Toni. Nous ne pouvons pas nous offrir une baisse de bénéfices. C'est bien pour cela que j'insiste : tout va bien? Oui? Alors, c'est bien. C'est bien. Tu es un bon garçon, Toni.

Un bon garçon, oui. Tout simplement épuisé. Toni bâilla encore un coup. En vérité, la caisse était au plus bas, et la clientèle s'amenuisait. Il faudrait un miracle, à présent, pour renverser le cours des choses. Toni, mal à l'aise, remua sur sa chaise.

– Je suis content de savoir que tout va bien, dit son père. J'ai entendu dire, aujourd'hui, qu'ils tenaient absolument à ce que je passe par une maison de santé quand je sortirai d'ici. Il paraît que ce serait catastrophique si je rentrais directement à la maison.

– Je pense qu'ils ont raison.

– Et tu crois que vous pourrez vous en sortir jusqu'au retour de votre mère?

– Oui.

La réponse avait été donnée d'une voix faible, mais elle parut contenter le père. Lorsque Toni s'éloigna, tout en descendant le long de l'allée, il entendit son père expliquer à son voisin de lit combien il avait de la chance d'avoir des enfants pareils, qui s'en tiraient merveilleusement, et combien il était fier d'eux.

Il restait encore trois semaines avant le retour de leur mère; et à la condition qu'elle ne prît pas la décision de prolonger un peu son séjour. Toni était tellement absorbé dans ses pensées moroses qu'il ne reconnut Dan McGill qu'au moment de passer devant lui. Dan était adossé à l'une des grilles de l'hôpital.

– Salut, dit Dan.

– Salut, dit Toni en ralentissant le pas.

– Comment va mon ami le Grand-Père?

Toni soupira :

– Je te l'ai déjà dit... Laisse-le tranquille. C'est un vieil homme.

– Ouais, ça se voit. Mais à son âge, on devrait savoir se tenir.
– Je suis désolé... souffla Toni.

Dan et lui étaient allés ensemble à l'école primaire et s'y étaient même très bien entendus. Par la suite, leur scolarité les avait séparés. Toni ne considérait pas Dan comme un mauvais garçon, pas vraiment. Seulement, il n'avait à peu près rien à faire, si bien qu'il traînait, désœuvré, à travers les rues et qu'il s'y attirait des ennuis.

– En tout cas, pas de problème, dit Dan. Je viendrai faire un tour chez vous, moi aussi, samedi soir.
– Samedi soir? répéta Toni.
– Bien sûr. Le grand soir.
– Le grand soir?

Toni se sentait stupide. Il n'y comprenait rien. Un effet de la fatigue, sans doute.

– Pour votre soirée de gala, pardi! renchérit Dan.
– Quelle soirée de gala?
– Ne me dis pas que tu n'es pas au courant, tout de même! s'esclaffa Dan. Il y a des affiches partout. Tiens, rien que dans la boutique du coiffeur, dans l'autre rue, là-bas.
– Des affiches? s'inquiéta Toni. J'aimerais voir ça!
– A samedi! le salua Dan. Je serai des vôtres!

Toni pressa le pas pour gagner la rue suivante. A mi-chemin, il repéra la boutique du coiffeur. Et là, bien au milieu de là vitrine, à côté d'une perruque poussiéreuse, s'étalait une belle affiche puissamment colorée. Elle rappelait assez celles que faisait son père : même emploi généreux de la couleur, mêmes arabesques... Et, à la lecture, il reconnut aussi son style fantasque. Mais son cœur tomba comme une pierre quand il comprit ce qu'il lisait :

RESTAURANT FRANCETTI

LE RESTAURANT PAS COMME LES AUTRES...

Samedi soir, soirée de gala (la première de toute une série). Prix cassés! Un penny de réduction sur les frites, deux sur la portion de poulet ou de poisson, trois sur les scampi. Cabaret permanent. Venez chez Francetti, un endroit où il y a de l'action! L'endroit dont on parle, l'endroit dont on rêve, l'endroit qu'il faut avoir vu de ses yeux!

OUI, VENEZ CHEZ FRANCETTI,

SAMEDI SOIR!

Il ouvrit la porte de la boutique du coiffeur. Il y avait là un homme occupé à brosser une dame devant un miroir; il lui faisait au sommet du crâne une sorte de nid en cheveux. La boutique était imprégnée d'une odeur qui rappelait la colle.

L'homme s'avança, la brosse à la main. Il interrogea Toni du regard.

– Monsieur désire? demanda-t-il enfin.

– C'est à propos de l'affiche que vous avez là en vitrine. Qui vous l'a remise?

– Deux petites filles.

– C'est bien ce que je pensais. (Toni soupira.) Je suis navré de vous déranger, mais m'autoriseriez-vous à la retirer, s'il vous plaît? L'une des gamines est ma sœur. Elle a fait cela sans nous en parler.

En maugréant, l'homme alla récupérer l'affiche collée sur sa vitrine. Il fit dégringoler au passage la perruque et une bombe de laque. Toni battit en retraite en se confondant en excuses.

Il patrouilla dans tout le quartier, inspectant les vitrines, récupérant toutes les affiches qu'il pouvait repérer, en arrachant quelques-unes des murs. Lorsque enfin il arriva au restaurant, très las, le pas lourd, il faisait tout à fait nuit. Les lumières étaient allumées, la porte ouverte, le juke-box en route, et cela sentait les frites chaudes. Rosita était en train de valser autour des tables, en suivant la musique.

– D'où viens-tu? demanda Paula.

Elle avait les joues écarlates et portait la blouse rose qu'elle mettait pour faire les frites.

Toni brandit dans les airs sa récolte d'affiches.

– D'où je viens? De cueillir des affiches.

FRANC
UN RESTA
PAS COMM
LES
GALA
CABARE

Rosita s'arrêta net de tournoyer.

– Oh non! Tu ne les as pas toutes enlevées? cria-t-elle.

– Tu penses bien que si! (Il déposa son butin sur la table.) Tu as fait de nous la risée de tout le quartier.

Paula et Grand-Père vinrent examiner le corps du délit. Paula se mit à rire.

– Il ne faut pas m'en vouloir, dit-elle à son frère. C'est plus fort que moi.

– Enchanté que tu trouves ça drôle!

– C'est toi qui as fait ça, Rosita? demanda Grand-Père.

– Oui, dit Rosita, sur un ton de défi.

Elle dévisageait Toni qui lui rendait son regard.

– Eh bien, moi, je trouve que

tu as de l'imagination, Rosita, dit Grand-Père. Je crois que tu as des dons d'affichiste. Comme ton père.

– Pour ça, oui, comme Papa, l'approuva Toni. Et à peu près autant le sens des réalités!

– Et alors, qu'est-ce que tu leur reproches, à ces affiches? dit Grand-Père. C'est bien écrit et très agréable à regarder.

Toni rugit :

– A regarder, peut-être, mais lis ce qu'il y a d'écrit : Soirée de gala... Cabaret permanent... Prix cassés...

– Prix cassés, ça, nous pouvons le faire, dit Grand-Père. Ça fait venir la clientèle. Le lendemain, les gens reviennent, et ils paient plein tarif. Comme au supermarché.

– N'est-ce pas, que nous le pouvons? dit Rosita. Je savais que tu

serais d'accord avec moi, Grand-Père.
– Bon, mais le « prix cassés », ce n'est pas ce qui me tracasse. L'ennui, c'est tout le reste! « Un endroit où il y a de l'action! »

Paula repiqua son fou rire :
– De l'action? On peut peut-être faire en sorte qu'il y en ait, de l'action?
– Pardi! répliqua Toni. On peut te faire danser sur les tables, n'est-ce pas?
– Justement, j'y avais pensé! s'écria Rosita. Paula danse rudement bien.
– Quoi? dit Paula.
– « L'endroit dont on parle... », poursuivait Toni, d'une voix lugubre.
– Et alors? C'est vrai. Maintenant, on parle de nous, dit Rosita.
– Peut-être, mais peut-être aussi

qu'on n'en dit pas exactement ce que nous aimerions qu'on en dise! coupa Toni. Et voilà le bouquet : « l'endroit dont on rêve... ». Franchement, Rosita!

– Eh bien? Il y a peut-être des gens qui en rêvent? dit Rosita.

– Des cauchemars, oui, tu veux dire! « l'endroit qu'il faut avoir vu de ses yeux! » Tu parles. Il faudrait tout repeindre, redécorer, et nous n'en avons pas le premier sou. Voilà la réalité.

– Justement, dit Rosita, Susan et moi, nous avons l'intention de peindre une fresque sur le mur. Elle est comme moi, Susan, elle adore peindre et dessiner!

– Pour ça, j'ai pu le constater, dit Toni, en brandissant de nouveau les affiches.

– Et nous allons tout redécorer, partout. On suspendra des lampions, on mettra des bougies... (Le visage de Rosita s'éclaira.) Et puis Susan va apporter ses décorations de Noël...

– Terrible! dit Toni.

– Pas besoin de te moquer de nous, figure-toi! Au moins, nous, nous faisons quelque chose. Et nous faisons tout notre possible pour sauver le restaurant de la faillite.

– Parlons-en! La faillite, elle sera encore un peu plus certaine, après ta « soirée de gala »!

– Mon vieux, il faut de l'audace, en affaires; il faut se distinguer, faire quelque chose d'autre que le voisin. On n'arrive à rien, si on ne sort pas des sentiers battus!

– Cette gamine n'a pas tort, dit Grand-Père. Sacré bon sang! non, elle n'a pas tort! Ce dont nous avons besoin, c'est d'un petit coup de fouet.

– Pour ça, dit Paula, je crois que nous sommes bien partis.

Rosita poursuivait son idée :

– Pour le moment, rien, absolument rien, ne nous différencie de nos concurrents.

– Ah! tu crois ça? dit Toni.

– Toni Francetti, répondit sa jeune sœur en relevant la tête, c'est à croire que tu n'as pas d'âme.

Toni darda sur elle un regard sans indulgence, mais elle ne désarma pas pour autant.

– Il y a quand même un dernier point qui me chagrine encore plus que tout, dit-il, glacial.

– Et qu'est-ce que c'est? demanda Grand-Père en se penchant pour regarder encore l'une des affiches.

– Ceci : « Cabaret permanent. » (Il dévisageait Rosita qui ne put, cette fois, soutenir son regard.) Peux-

tu me dire, au juste, ce que tu avais derrière la tête en écrivant cela?
– Euh...
– Je t'écoute, insista-t-il.

8. On trouvera bien quelque chose...

– Je t'accorde que c'est le point du programme le plus difficile à remplir.

Rosita admit à regret.

– Mais ce ne sont pas les difficultés qui nous feront baisser les bras, dit Grand-Père.

– Là, tu as bien raison, Grand-Père, dit Toni. Dans cette maison, non seulement on ne recule pas devant les difficultés, mais encore on fait un détour pour aller les cher-

cher, et même pour les aggraver.
– Je n'ai pas trop eu le temps de m'occuper des détails, plaida Rosita. Susan et moi, nous en avons mis un coup. Il y a tout de même une limite à ce que nous pouvons faire.
– Le ciel en soit loué!
– Nous nous étions dit que nous pourrions toujours chanter. A l'école, chaque fois qu'il y a une fête, on nous demande de chanter.
– Seulement, ce n'est pas tout à fait la même chose qu'une fête de l'école, votre « soirée », dit Toni.
– Ce sera sans doute encore cinquante fois pire! dit Paula en s'étouffant de rire.

Toni se retourna vers elle.
– C'est tout ce que tu trouves à faire, toi, rire comme une oie.
– Il ne faut pas m'en vouloir, c'est plus fort que moi.

– Tu te répètes. Ça aussi, tu sais le faire.

– Moi aussi, je pourrais chanter, proposa Grand-Père. Quand j'étais jeune, j'avais une fort belle voix.

Personne n'osa faire de commentaire, pas même Rosita. Chacun l'avait maintes fois entendu chanter de grands airs dans son bain. Toni ramassa les affiches et déclara qu'il était temps de se mettre au travail. Avec un peu de chance, ils auraient peut-être deux ou trois clients à servir.

– Écoute, ne t'en fais pas, Toni, risqua Rosita pour le rassurer. On trouvera bien quelque chose...

– Si j'étais toi, ma fille, souffla Paula à sa petite sœur lorsque Toni fut monté pour se changer, je me ferais toute petite, petite.

– Toni est vraiment un garçon très sérieux, remarqua Grand-Père.

Je me demande d'où il tient ça.
– De Maman, dit Paula.
– Oui, sûrement, dit Grand-Père en frisant sa moustache. En tout cas, cela ne vient pas de notre côté. Dans ma famille, nous avions tous la réputation d'être de sacrés boute-en-train.
– Oh! Toni peut avoir de l'entrain, aussi, dit Paula. Mais pour le moment, visiblement, il est persuadé qu'il porte sur ses épaules le poids du monde.
– Sans doute, dit Grand-Père. N'importe comment, nous ne sortons pas tous du même moule. Il faut de la variété, dans ce monde. Sans quoi ce serait mortellement ennuyeux.
– Tu as raison, Grand-Père! s'écria Rosita. Il faut de la variété.

De la variété. Rosita, debout derrière son comptoir, se plut à méditer là-dessus. Elle avait devant elle un papier et un crayon feutre. « Cabaret. » Elle écrivit le mot dans l'espoir que l'inspiration suivrait. Il fallait absolument trouver quelques bonnes idées. Paula le lui avait dit, d'ailleurs : « Tu as intérêt à trouver quelque chose, et vite. » L'ennui, c'était que Rosita n'avait jamais mis les pieds dans un cabaret, et n'avait donc aucune idée de ce que l'on y voyait. Elle se souvenait avoir aperçu, à la télévision, des bribes de spectacle qui pouvaient peut-être porter ce nom-là. Des chansons, de la danse, peut-être des sketches d'acteurs... Ah oui! elle y songeait : elle avait dans sa chambre un recueil d'histoires drôles... Mais quelque chose lui disait que Toni n'apprécierait pas. Perplexe, elle se mit à griffonner sur son papier.

Les clients entraient au compte-gouttes. Comme la soirée s'avançait, ils se firent plus nombreux, au point que finalement les tablées furent complètes, et que la queue au comptoir s'étira jusqu'à la porte. Grand-Père chantait en sourdine des fragments d'airs d'opéras, tout en faisant frire son poisson et en repêchant ses frites. Toni lui-même avait le sourire tandis qu'il s'activait, de sa seule main valide, à faire circuler les assiettes. Il avait pris le contrôle de la file d'attente et échangeait quelques mots avec les têtes connues. C'était le coup de feu, et les affaires marchaient. Le tiroir-caisse, ce soir, serait bien plus garni qu'il ne l'était d'habitude un vendredi.

– Tu vois, tu vois, triomphait Grand-Père, les affiches de Rosita font déjà leur petit effet!

– Je crois bien que c'est ça, dit Paula. Elles ont dû attirer l'attention.

– Possible, mais demain, hein? Demain? N'oubliez pas demain, leur rappelait Toni.

Vers la fin de la soirée, Paula vit entrer Dan McGill. Il se plaça en queue de file. Lorsqu'il arriva à son niveau, elle leva les yeux et lui sourit.

– Un repas de poisson, s'il vous plaît, dit-il.

– A emporter?

– Non non, sur une assiette. A consommer sur place.

Elle lui servit la plus grosse portion de poisson qu'elle put trouver et l'ensevelit sous une généreuse ration de frites.

– Je suis désolée, pour l'autre soir, dit-elle d'une voix embarrassée. Grand-Père aussi, d'ailleurs, seu-

lement il ne veut pas l'avouer.
– Allez, on n'en parle plus! dit Dan.

Il s'assit dans un coin de la salle. La file d'attente s'amenuisait, l'assistance se faisait clairsemée. Dan restait où il était.

Paula alla le rejoindre :
– Une tasse de café? dit-elle.
– Je n'aurais rien contre.

Elle en servit deux tasses et les apporta à sa table. Dan fourragea dans sa poche pour en sortir des pièces.
– Non, dit-elle, c'est la maison qui l'offre.
– Merci. Et celui-là, il est pour qui?

Pour toute réponse, elle retira sa blouse et s'assit en face de lui.

Toni, dans la cuisine, était en train de charger le lave-vaisselle.
– Ça, c'est Paula tout craché!

ronchonnait-il. On peut compter sur elle, ouiche! On a du boulot par-dessus la tête, et elle, tout ce qu'elle trouve à faire, c'est les yeux doux à un garçon!
– Elle cherche à être aimable avec lui, c'est tout, plaida Grand-Père. Laisse-lui la paix. Elle a trimé dur toute la semaine. Et peut-être que ce garçon a besoin qu'on soit aimable avec lui.
– Grand-Père, enfin! Qu'est-ce que tu racontes? protesta Toni. C'est toi qui dis ça, maintenant? L'autre soir tu lui as flanqué un coup de poisson sur la main, et ce soir tu viens nous dire qu'il a besoin qu'on soit gentil avec lui!
– Bon, bon, mettons que l'autre soir j'y sois allé un peu vite, dit Grand-Père en s'affairant à d'insignifiantes besognes à l'autre bout de la cuisine.

Toni n'en démordait pas.

– Ah! les grand-pères, je vous jure!

Rosita, de temps à autre, allait à la porte de la salle pour jeter un coup d'œil sur Paula et Dan McGill. Ils ne la voyaient même pas. Leurs deux fronts rapprochés par-dessus leurs tasses de café, ils avaient l'air de discuter. Rosita brûlait de savoir sur quoi portait la conversation. « Curieuse comme une belette! » se disait Toni. Un de ces jours, elle s'attirerait de graves ennuis, avec ça.

Pour finir, Dan se mit debout.

– Alors, à demain, dit-il.

– C'est ça, dit Paula. A demain.

Et elle referma la porte à clef derrière lui.

– Ah! qu'il est merveilleux...

– ... de tomber amoureux... s'égosilla Rosita de sa voix la plus aiguë.

– Oh, ça va, toi! ferme ton bec! Franchement, les petites sœurs, quelle plaie...
– Ah oui? Et les grandes? Tu crois que c'est drôle de te supporter, avec tes yeux langoureux?
– Quoi? N'est-ce pas qu'il est sympa, finalement? dit Paula. Il joue les gros durs, mais c'est une façade!
– Aaaah! Je le trouve fan-tas-tique!

Rosita fit semblant de se pâmer et Paula lui décocha un regard courroucé.
– Si vous alliez plutôt vous coucher, toutes les deux? suggéra Toni d'une voix lasse. La journée de demain sera rude.

9. Samedi matin

– Un autre sac de patates, s'il vous plaît, pria Toni.
– Tiens donc? On s'attend à de l'affluence, ce soir? demanda M. Abbot, l'épicier.
– On ne sait jamais, dit Toni en haussant les épaules.

Il se courba pour empoigner le sac et l'épicier lui donna un coup de main pour traverser la rue avec son chargement.

Il y avait de l'animation, comme

toujours, le samedi matin. Des ménagères se hâtaient de faire leurs courses, des enfants déambulaient avec peine, chargés de sacs à provisions, tandis que des tout-petits, coincés dans leur poussette ou leur landau en stationnement sur le trottoir, attendaient plus ou moins patiemment que leur véhicule redémarrât. Toni, d'ordinaire, aimait bien les samedis matin : toute cette animation lui plaisait, ainsi que ce mélange de galopades et d'attente de quelque chose d'excitant. Mais de ce samedi-là, il n'attendait pas grand-chose de bon. Rien que de penser au fiasco inévitable de la soirée à venir, il se sentait l'estomac barbouillé.

– Voilà, ça ira, Toni? demanda M. Abbot, comme ils faisaient franchir au sac de pommes de terre le seuil du restaurant.

Il soufflait et haletait sous l'effort.

– Ça ira, merci, dit Toni.

Mais M. Abbot ne repartit pas tout de suite. Les mains sur les hanches et l'estomac en avant, il regardait autour de lui avec le plus grand intérêt. Des lampions de papier se balançaient au plafond, des guirlandes colorées s'incurvaient d'une lampe à l'autre, d'autres guirlandes, argentées celles-là, étincelaient le long des présentoirs.

– Eh ben! Noël est en avance, cette année! fit remarquer l'épicier.

– Mouais, dit Toni. Mais ce qu'il nous faudrait, c'est le Père Noël.

– C'est vrai, ça! s'écria Rosita. C'est dommage qu'on soit trop loin de Noël : M. Abbot nous aurait fait un Père Noël super-extra!

M. Abbot éclata de rire. Tout son

corps replet en était secoué. Il joignit les mains.

– Ah! petite Rosita, tu es impayable!

Rosita le remercia d'un grand sourire avant de se remettre à sa peinture. Susan, sans perdre une seconde, exécutait, imperturbable, sa part de fresque murale; tout absorbée par son œuvre, elle se mordait la lèvre et fronçait le sourcil.

– Ho ho! Que faites-vous là de beau? s'enquit M. Abbot, en avançant vers la fresque en chantier.

– On essaie de faire entrer ici la mer des Caraïbes, expliqua Rosita. Le soleil et les vagues, et le sable chaud.

– Quoi? Les Caraïbes? s'écria Toni en rejoignant M. Abbot.

Rosita s'impatienta.

– Quel besoin as-tu de tout répéter comme un imbécile?

– Il faut que je vérifie que mes oreilles font bien leur travail. En général, c'est le cas. Malheureusement.

– Ah? Et on peut savoir ce que tu as contre les Caraïbes? demanda Rosita, en ajoutant une touche de vert au bleu de la mer.

– Dire que c'est là que j'ai toujours rêvé d'aller en vacances un jour! s'écria M. Abbot. Enfin, ça viendra peut-être, qui sait? Quand je prendrai ma retraite...

– Vous feriez mieux d'y aller dès maintenant, lui conseilla Rosita. Moi, je crois qu'on a toujours tort d'attendre.

Toni contemplait le décor mural. Il était quasiment achevé. Les filles y avaient peint, sur fond de palmiers, un groupe de chanteurs de calypso. Elles avaient copié ce tableau dans un livre. Mais le résultat n'était pas si désastreux que ça, encore que Toni ne voulût pas l'admettre.

– Avouons que ça aurait pu être pire, concéda-t-il.

– Merci, dit Rosita. Merci mille fois.

– Moi je trouve ça éblouissant, dit M. Abbot. Absolument enchanteur. Je ne dis pas que je ne vous commanderai pas quelque chose du même genre pour ma boutique à moi.

– Vous ne dites pas ça pour rire, monsieur Abbot? demanda Susan.

– Pas du tout, pourquoi pas? Je parle sérieusement. Je vous paierai, bien sûr.

– Oh! monsieur Abbot! dit Rosita extasiée.

Et elle se pendit à son cou pour l'embrasser sur les deux joues.

– Vous êtes un vrai papa gâteau, conclut-elle.

Les joues de l'épicier s'étaient teintées de rose.

– Ah! vous autres Italiens, vous êtes bien tous les mêmes, dit-il, manifestement ravi.

– Rien n'est plus faux, protesta Toni, mais personne ne l'entendit.

Déjà ils discutaient styles et motifs, thème et calendrier d'exécution. A les écouter parler, l'idée lui vint à l'esprit que peut-être un jour Rosita saurait faire fortune beaucoup mieux que lui et Paula. Elle avait l'esprit d'invention, de l'imagination à revendre et ne s'embarrassait pas de la question de savoir si ses projets étaient fous ou non.

– Entendu pour samedi prochain! lança Rosita à M. Abbot qui sortait.

– C'est ça! A samedi! lança celui-ci en retour.

– Dis donc, Susan, on pourrait peut-être lancer une affaire? suggéra Rosita. On ferait la tournée des boutiques à décorer. Tu sais, quand une idée prend, on ne peut jamais savoir jusqu'où elle peut aller.

– Ne commence donc pas à bâtir des châteaux en Espagne, prévint Toni.

Mais Rosita l'ignora.

– Si on fait une fresque murale chaque samedi matin d'ici à Noël, à ton avis, Susan, à quelle somme crois-tu qu'on pourrait arriver?

Susan était meilleure qu'elle en calcul. Elle se mit à compter tout haut.

– Bon, moi je vais éplucher des patates, dit Toni. Sans patates, rien dans la caisse.

– Tu sais que nous avons composé une chanson? dit Rosita. Sur un air

de calypso. Tu veux l'entendre?
– J'imagine que, de toute façon, je n'y couperai pas, dit Toni. Alors, autant l'entendre tout de suite. Et peut-être éviter le pire.
Rosita et Susan se placèrent côte à côte.
– Tu es prête? demanda Rosita.
Susan fit oui du menton.
Toutes deux se mirent à chanter, en se trémoussant en cadence, et leurs pinceaux, qu'elles n'avaient pas lâchés, envoyaient un peu partout des gouttelettes de peinture.

Pour vos dîners, venez chez Francetti,
Aussi souvent que vous en avez envie.
De meilleures frites on ne saurait trouver,
Le Coca-Cola n'y est jamais mouillé.

Ça, c'est le premier couplet. Et voici le refrain :

Chez Francetti, tout est frais,
Revenez quand il vous plaît!

– Nous avons pensé que toute la salle pourrait reprendre le refrain, dit Susan.

– Tu ne tiens pas la forme, Toni, on dirait, remarqua Rosita. Quelque chose qui ne va pas?

Il s'était assis sur la chaise la plus proche.

– Oh! rien. J'ai les genoux qui flageolent un peu, c'est tout.

– Tu veux entendre la suite?

– Parce qu'il y a une suite?

– Nous avons composé dix couplets, jusqu'à maintenant.

– Dix?

– Tu sais, une fois lancé, on a l'impression qu'on ne pourrait plus s'arrêter.

Toni s'éclipsa en direction de la cuisine. Grand-Père était absorbé dans la préparation du poisson.

– Ah! Toni, te voilà. Justement, j'avais besoin de ton avis. Que penses-tu que je devrais chanter, ce soir? Un air de *Madame Butterfly*, par exemple? Tu sais, celui qui commence comme ça...

Et Grand-Père entonna l'un de ses succès.

– Grand-Père, crois-tu qu'il soit si sage de chanter quoi que ce soit?

– Que veux-tu dire?

– Tu sais bien, le docteur dit toujours que tu as la gorge fragile et que tu devrais faire attention. Rappelle-toi, l'hiver dernier...

– J'ai la gorge en parfait état.

Grand-Père avait renversé la tête en arrière et se tapotait la pomme d'Adam d'un index connaisseur. Puis il se remit à chanter.

Susan et Rosita, tout en portant à leur œuvre la touche finale, s'efforçaient de chanter en chœur.

Frites et poisson et aussi du poulet,
Venez ici, vous qui êtes gourmet,
Le pudding noir est aussi délicieux,

Vous verrez, vous n'en croirez
pas vos yeux!
Chez Francetti, tout est...

– Suffit, la barbe! venait de rugir Toni. Vous ne pouvez pas arrêter ce ramdam vingt secondes?
– Susan, dit Rosita, comprends-tu ton bonheur de n'avoir pas de frère?
– Avez-vous une idée de l'endroit où pourrait se trouver Paula? dit Toni. Je ne l'ai pas revue depuis ce matin.
– Moi non plus, dit Rosita. Mais je crois savoir où elle est.
– Et où? demanda Toni.
– En train de prendre un café au bar du *Rendez-vous* avec Dan McGill.

Rosita rayonnait d'annoncer cette nouvelle.

– Pour ce qui est de rendre service, elle est... commença Toni. Mais il se ravisa et poursuivit : Il faut que j'aille à l'hôpital; j'ai promis à Papa de passer le voir ce matin.

Les filles reprirent leur chant de sirènes :

Chez Francetti tout est frais,
Revenez quand il vous plaît!

Toni descendit dans la rue. Comme il passait devant la mercerie, Mme Small surgit sur le seuil de sa porte :
– Je viendrai, ce soir, Toni. Est-ce que je peux faire quelque chose pour vous?
– Non, rien de spécial, assura Toni.
Il pressa le pas en direction de l'hôpital. Il expliqua à la sœur qu'il serait pris par le travail tout l'après-midi et ne pourrait donc

pas venir à l'heure habituelle de la visite. Elle dit que dans ce cas, tout à fait exceptionnellement, elle lui accordait dix minutes de visite en dehors du temps réglementaire.

– Mais je dois dire, ajouta-t-elle, qu'au sujet de votre père nous n'arrêtons pas de faire des exceptions et des entorses au règlement... (Elle se radoucit et sourit.) Il faut avouer, à sa décharge, qu'au moins il met de la vie dans cette salle, un peu trop parfois, disons-le. Son voisin de lit, hier soir, a fait sauter un de ses points de suture à force de rire...

M. Francetti, assis dans son lit, était en train de picorer une grappe de raisin noir.

– C'est M. Abbot qui m'a fait parvenir ce raisin, dit-il à son fils. On peut dire que j'ai de bons voisins.

Généreux et tout. Assieds-toi, mon garçon, assieds-toi.

Il détacha de sa grappe un grain rebondi et l'enfourna dans sa bouche.

Toni s'assit.

– Alors, il paraît que vous donnez un gala, ce soir? dit M. Francetti. C'est M. Pindi qui me l'a appris. Mes enfants ne me disent jamais rien. Si je veux des informations, il faut que j'aille les prendre ailleurs.

– Nous ne voulions pas que tu te tracasses, dit Toni.

– Me tracasser? Pourquoi cette idée de gala me tracasserait-elle? Mon seul tracas, c'est de ne pas pouvoir en être.

Une infirmière traversa la salle.

– Tst-tst! Toujours en train de grignoter, M. Francetti, fit-elle observer, désapprobatrice.

– Vous en voulez un bout, mademoiselle? dit le père en lui tendant un grapillon.
– Pas le droit de manger pendant le service, dit-elle.
– Papa, tu es infernal, je crois que tu serais capable d'inciter au meurtre, dit Toni.
– Au meurtre? Sans intérêt. Mais croquer un grain de raisin n'a jamais fait de mal à personne. Et maintenant, parle-moi de ce gala!

Toni quitta son père quelques minutes plus tard. Sur le chemin du retour, il emprunta un itinéraire qui le faisait passer devant le *Rendez-vous.* C'était le lieu de réunion des jeunes gens du quartier, tous les samedis matin. En s'approchant il reconnut Paula, assise derrière la baie en compagnie de Dan McGill. Ils étaient tous deux en train de rire. Ils avaient l'air heureux. Toni passa son chemin. Il n'avait pas le cœur d'entrer et d'intimer à sa sœur l'ordre de venir. De les voir ainsi, tous les deux, lui avait fait songer à l'une de ses camarades de classe, Jane. Elle avait des cheveux blonds, plutôt raides, d'immenses yeux verts, et le plus souvent elle souriait lorsqu'elle le rencontrait. Il avait bien des fois songé à l'inviter à sortir avec lui, mais il n'avait jamais osé le faire. La semaine prochaine, il lui proposerait de venir prendre un café avec lui, le samedi matin. Et pourquoi pas? Au pire, elle dirait non, c'est tout. Mais il comptait bien qu'elle dirait oui. Il fit le reste du trajet en sifflotant.

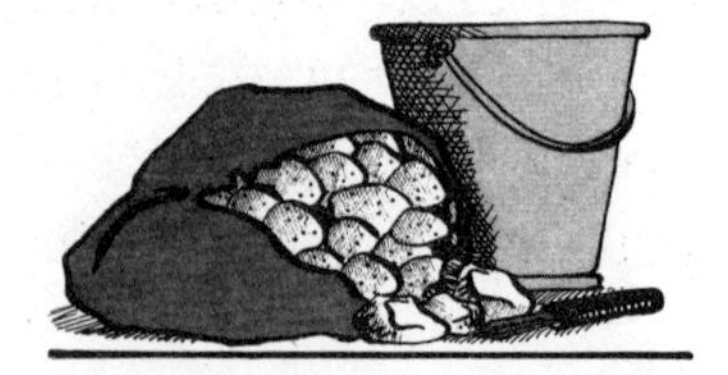

10. Samedi soir

Avant la fin de l'après-midi, le gosier de Grand-Père criait grâce. Il avait tant chanté, tout au long de la journée, qu'il ne pouvait plus rien en tirer qu'un filet de voix éraillée.

– Que le ciel en soit remercié! souffla Toni à Paula.

– C'est trop bête, trop bête! coassait Grand-Père. Jamais de ma vie cela ne m'était arrivé. Et justement un soir pareil!

– Peut-être que les choses s'arrangeraient si tu essayais de ne plus parler, suggéra Paula. Laisse reposer tes cordes vocales.

– Reposer? Non, il faut que je me les retape.

Grand-Père se hâta d'aller s'acheter chez le pharmacien du coin des pastilles pour la gorge. Toutes les dix minutes, il en posait une sur sa langue; et il enroula autour de son cou un épais cache-nez.

– Tu vas finir par te rendre malade, à sucer toutes ces saletés, le prévint Paula.

– Ça m'est égal, dit Grand-Père. Je suis prêt à tout pour pouvoir chanter.

– Et nous, nous sommes prêts à tout pour t'en empêcher, susurra Paula sitôt qu'il fut trop loin pour l'entendre.

– Paula, demanda Toni, as-tu pris le temps de réfléchir une seconde à ce que nous allons faire ce soir? Les gens qui vont venir ici s'attendent à des divertissements, ils compteront sûrement s'amuser...

– Mais peut-être qu'ils s'amuseront, dit Paula, énigmatique.

– Tu penses aux chansons de Rosita et Susan? Ça, pour faire rire, elles feront rire! Mais ce n'est peut-être pas exactement sur ce genre de divertissements que compte notre clientèle... Non, mais! Écoute-moi ces deux clowns.

De la porte de la cuisine, ils regardèrent dans la salle. Rosita et Susan louvoyaient autour des tables en dansant, au rythme de leur interminable rengaine :

Des frites au vinaigre, bien assaisonnées,
Pâte à frire à la crème pour le poisson sauté!

Tout ce que vous voulez se
trouv' chez Francetti,
Tous les mets, les desserts et les
plats fantaisie!
Chez Francetti, tout est...

Il y avait là quelques enfants, envoyés par leur mère acheter les frites du repas du soir. Au milieu du refrain, Rosita s'avisa :
– Et si vous chantiez le refrain avec nous? On y va? Un, deux, trois :

Chez Francetti, tout est frais,
Revenez quand il vous plaît!

Les enfants se joignirent au chœur; plusieurs hésitèrent une seconde ou deux, puis, après avoir pouffé de rire, ils se laissèrent contaminer par l'enthousiasme de Rosita.

– Rosita donnerait de l'entrain à des bûches, fit remarquer Paula.
– Quand il s'agit d'enfants de son âge, ou plus jeunes, peut-être, dit Toni. Mais tu crois que le charme opérera avec les grands diables que nous aurons ce soir? Ceux du genre McGill, je veux dire?
– Tu n'as rien à dire contre Dan McGill, répliqua immédiatement Paula.
– Contre lui, non. Mais contre ses amis, si.
– Même eux, dans le tas, il y en a de tout à fait corrects.
– C'est ça. Et d'autres, pas.
– Ces autres, on s'en débrouillera, dit Paula.
– Tu m'as l'air bien sûre de toi. Tu as un tuyau secret, un atout dans ta manche?

Paula sourit.

– Il faut que j'aille mettre les

poulets à rôtir, se contenta-t-elle de dire.

Toute une escouade de messieurs venait d'entrer. Ils étaient bruyants, mais de la meilleure humeur. Ils arboraient tous la même écharpe, aux couleurs d'un club de football. Et leur équipe venait de gagner. Ils prirent d'assaut toutes les tables et, comme les deux petites venaient de terminer un nouveau couplet, ils se lancèrent dans le refrain avec enthousiasme, encourageant ensuite les chanteuses à poursuivre.

– En-core! En-core! criaient-ils.

Les gamines ne furent que trop heureuses de s'exécuter.

– Ils prennent du plaisir, ceux-là, non? s'exclamait Grand-Père, enthousiaste, derrière son comptoir. Rosita a du talent. Elle tient ça de moi.

Sa voix à lui coassait toujours, à la grande satisfaction de Toni.

S'il tenait à chanter à tout prix, il serait facile de couvrir sa voix en mettant le juke-box un peu fort.

Au moment de partir, les amateurs de football laissèrent tomber sur les tables une pluie de piécettes pour Susan et Rosita. Les filles se firent une joie de les récolter.

– Je ne sais même pas si vous avez le droit de ramasser cet argent, dit Toni. Il faut une licence spéciale, je crois, si on veut chanter pour de l'argent. Si vous faisiez ça, par exemple devant un cinéma, pour récolter des sous en chantant devant ceux qui font la queue, la police vous embarquerait, vite fait.

En dépit de cette diatribe, Rosita n'était pas certaine qu'il fût furieux pour de bon. Simplement, il était comme ça : toujours besoin de mettre son grain de poivre partout. Après, il se sentait mieux.

– Je me demande si je n'aimerais pas être chanteuse de cabaret, plus tard, rêvait tout haut Rosita.

– Eh! Pas plus tard que ce matin, tu voulais être artiste peintre, spécialisée dans le décor mural. Faudrait savoir!

– Il y a tant de choses que j'aimerais faire! Oh! Toni, tu ne trouves pas que c'est merveilleux, quand on y pense, de se dire qu'on pourrait faire tant et tant de choses?

Elle tourbillonnait sur place, les yeux étincelants. Toni allongea le bras pour lui ébouriffer les cheveux.

– Tu nous en fais, un sacré spécimen! déclara-t-il. Tiens, va donc derrière ton comptoir, tu as du monde.

– Vu. Ma gorge réclame du repos, de toute façon.
– Je pense que cela ne lui fera pas de mal. Je me suis laissé dire que les chanteurs professionnels prenaient grand soin de leur gosier.

Elle se retourna pour lui faire une grimace avant de regagner son poste.

La file d'attente au comptoir des frites s'étirait jusqu'à la porte. Toni mit en route le juke-box.
– Ne venez pas me dire que c'est ça le spectacle de cabaret, dit un adolescent.
– Sûr que non, dit Toni. Pour le moment, c'est la pause.

Le « cabaret »! Intérieurement, il envoya Rosita au diable. Sacrée gamine, avec sa façon d'envoyer les mots en l'air, son goût pour tout ce qui brille et flamboie! Il rejoignit derrière le comptoir Paula et le grand-père. Ils travaillaient sans désemparer et le vieil homme n'avait plus seulement le temps de songer à essayer sa voix. Toni les seconda de son mieux avec sa main valide.

– Ne fais pas cette tête, va, lui dit Paula. Tu vas voir, tout va s'arranger.

De temps en temps, elle jetait vers l'entrée un coup d'œil furtif. Toni suivait son regard, mais il ne voyait rien venir d'autre que toujours plus de clients, attirés par les prix exceptionnels de la soirée. Après tout, sans doute cela leur suffisait-il : l'idée d'économiser deux ou trois piécettes l'emportait sûrement sur l'attente d'un vague spectacle de variétés.

Soudain trois membres de la bande de Dan McGill firent leur apparition.

– On est venus voir ce fameux

gala, dit l'un d'eux, en balayant la salle d'un regard circulaire. Pas l'air terrible, à ce que je vois!

– Peut-être que Susan et moi devrions chanter un peu de notre calypso! s'empressa de proposer Rosita à son frère.

– C'est pas vrai? Toi? Tu chantes des calypsos? ricana le garçon. (Il se tourna vers ses comparses.) Vous entendez ça, les gars?

Ils firent semblant de se tenir les côtes.

– Non, pas pour le moment, se dépêcha de dire Toni à sa petite sœur. Tout à l'heure, peut-être.

Il se doutait que les garçons se moqueraient de Susan et Rosita. Ils étaient du genre, de toute façon, à s'esclaffer sur tout et sur n'importe quoi.

– Tiens, voilà Dan, dit tout à coup Paula.

Le trio pivota. Se frayant un chemin à travers l'assistance, Dan McGill s'avançait dans la salle. Il portait une guitare. Il était suivi de deux autres garçons. L'un portait comme lui une guitare, le deuxième une grosse caisse. Les trois autres se consultèrent du regard, le sourcil interrogateur.

– Hé, Mick! appela Dan McGill en avisant l'un d'eux. Je te cherchais partout. Tu viens chanter avec nous?

– Mmmm... hésita le dénommé Mick.

– Si, allez, viens! insista Dan.

– Va leur donner un coup de main, Toni, dit Paula.

Elle souriait, confiante.

Avec une famille comme la sienne, décidément, Toni devait s'attendre à tout. Il clama d'une voix forte :

– S'il vous plaît, écartez-vous, laissez passer les musiciens!
– Je pense que le mieux serait de rapprocher deux tables, dit Paula, et de les faire s'installer dessus.
– Cela fera encore un peu moins de places assises, fit remarquer Toni.
– Je crois que ce soir il faudra que la plupart des gens restent debout.
– J'imagine que tu as raison.

Deux tables furent accolées et les quatre garçons se juchèrent dessus. Dan adressa à Paula un regard d'intelligence et elle lui répondit d'un sourire furtif.
– Paula a de bonnes idées, parfois, dit Rosita à Susan.

Les garçons commencèrent à jouer et la salle s'anima soudain. Paula et Grand-Père égouttaient leurs frites plus allégrement, tandis que Rosita et Susan allaient et venaient, de la salle à la cuisine et de la cuisine à la salle, pour les approvisionner en pommes de terre et en poisson. Bientôt, le petit restaurant fut plein à craquer, on ne pouvait vraiment plus caser qui que ce fût. Toni pria gentiment ceux qui étaient là depuis longtemps de céder leur place à de nouveaux arrivants. La file d'attente, cette fois, s'allongeait jusque sur le trottoir. Toni mit le nez dehors pour évaluer la situation, et il s'apprêtait à rentrer lorsqu'il aperçut, au bout de la rue, une silhouette qui lui semblait familière, flanquée d'une valise. Il y regarda à deux fois. Mais oui. C'était leur mère!

Il se rua à sa rencontre.

– Maman! Que diable fais-tu ici?

Elle déposa sa valise à terre.

– En voilà une façon de m'accueillir!
– C'est Papa qui t'a envoyé un télégramme?
– Mais non. Pourquoi? Qu'est-il arrivé à ton père? Allons! Réponds-moi! Je veux savoir ce qui se passe.
– Il a fait une chute et il s'est cassé une jambe, laissa tomber Toni.

Sa mère secoua la tête.

– Je m'en serais doutée! Je n'ai pas plutôt le dos tourné qu'il faut qu'il fasse des sottises. C'est bien pour ça que je suis rentrée.
– Je croyais que tu devais rester là-bas au moins un mois?
– Eh bien, c'est comme ça, je suis restée deux semaines, dit-elle. C'était suffisant. J'ai vu tes grands-parents et ils m'ont vue. Nous avons parlé ensemble, et puis est arrivé un moment où nous n'avons

plus rien eu à nous dire de nouveau. Nous nous asseyions dehors, au soleil, et ils somnolaient; et moi je me disais : « Qu'est-ce que je fais ici, en Calabre, assise au soleil auprès de mes vieux parents qui font la sieste, alors que je devrais être au milieu des miens et veiller à ce qu'il ne leur arrive rien? »

– Oui, euh...

Toni jeta un regard en direction du restaurant. La file d'attente s'était allongée, la musique semblait s'être faite plus forte. Dan McGill n'était peut-être pas le meilleur musicien du quartier, mais il se rattrapait du côté de l'enthousiasme.

– Qu'est-ce que c'est que tout ce raffut? demanda sa mère, prise de soupçons.

– Un groupe musical.

– Un groupe?
– Oui, dit Toni. Ils jouent et ils chantent.
– Chez nous? Dans le restaurant?
Toni asquiesça. Mme Francetti s'avança d'un pas résolu. Toni prit sa valise et lui emboîta le pas. L'entrée était bloquée.
– Je ne peux même pas entrer dans mon propre restaurant, dit-elle en posant les poings sur ses hanches.
– Mais nous faisons des affaires, Maman.
– Ça n'empêche pas que j'aimerais bien entrer.
Toni s'efforça de lui frayer le passage. Quand elle atteignit le comptoir, Grand-Père, de stupéfaction, laissa tomber une portion de poisson :
– Maria! Mais que fais-tu ici?
– Maman! cria Rosita d'une voix

suraiguë, en se penchant à son cou au risque de l'étrangler.

– Surtout, ne te tourmente pas, Maman, lui dit Paula après l'avoir dûment embrassée. Peut-être devrais-tu monter t'étendre un peu. Tu dois être fatiguée, après tout ce long voyage...

– « Ne te tourmente pas », me dit ma grande fille! (Mme Francetti observait Paula attentivement.) Qu'est-il donc arrivé à ma fille aînée en mon absence? Je ne suis pourtant partie que quinze jours! Il semble s'en être passé, des choses, pendant ce temps! Quant à aller me coucher, merci, je ne suis pas fatiguée.

Elle retira son manteau, reprit son poste derrière le comptoir.

Elle pointa le menton vers le client suivant :

– Et pour monsieur?...

Ils ne fermèrent qu'après minuit.
– Le tiroir-caisse éclate! exultait Grand-Père. Nous sommes riches!
– N'exagérons rien, Grand-Père, dit Mme Francetti. Mais il est certain que nous avons fait mieux qu'un samedi habituel.
– Nous avons encaissé plus, ce soir, qu'en toute une semaine ordinaire, dit Toni, qui commençait à faire les comptes. Papa sera drôlement content. Nous vous devons sûrement quelque chose, à vous autres, musiciens, enchaîna-t-il en regardant Dan.
– Pas question, non, nous ne voulons rien, protesta Dan.

Paula était en train de les régaler, lui et ses amis, de généreuses assiettées de poulet-pommes frites. Mme Francetti s'attabla à son

tour. Elle n'avait rien avalé depuis des heures.
– C'est bon de se retrouver chez soi, dit-elle en regardant alentour.
– Et tu nous as bien manqué, Maria, déclara Grand-Père.
– D'une certaine façon, oui, je veux bien vous croire, dit-elle. Mais on ne m'ôtera pas de l'idée que, dans un autre sens, vous avez dû trouver bon, tous, de ne pas m'avoir dans les jambes! Ne vous fatiguez pas à prétendre le contraire! Au fait, Susan, dis-moi, tu ne crois pas qu'il serait l'heure de rentrer chez toi et d'aller te coucher?
– Sa maman a dit qu'elle pouvait dormir ici, expliqua Rosita.

Susan et Rosita se remirent à chanter. Dan reprit sa guitare pour gratter dessus, tout doucement.

Pour vos dîners, venez chez Francetti,
Aussi souvent qu'vous en avez envie.
De meilleures frites on ne saurait trouver,
Et le Coca n'y est jamais mouillé.

– Allez, en chœur, le refrain, tout le monde! cria Rosita, et chacun reprit, bon enfant :

Chez Francetti, tout est frais,
Revenez quand il vous plaît!

– On continue la fête entre nous, encore un tout petit peu? dit Paula.
– Oui, bonne idée! dit Toni.
Ils regardèrent leur mère.
– Faites vite, et profitez-en bien, dit Mme Francetti. Demain, retour à la normale. Ouvert tous les jours.

Table des matières

Cet
ouvrage,
le trente-
huitième
de la collection
CASTOR POCHE,
a été achevé d'imprimer
sur les presses de l'imprimerie
Brodard et Taupin
à La Flèche en
janvier
1982

Dépôt légal : 1er trimestre 1982
N° d'édition : 11160. Imprimé en France
ISBN : 2-08-161742-0